Catherine Brisac

Le vitrail

Crédit photographique: Alliou (D.): 12, 16, 31, 33, 47, 48, 51. — Amelot (M.): 51. — Bretocq: 50. — Brisac (C.): 5, 12, 14, 15, 18, 26, 49. — Caviness (M.): 22. — Direction du Patrimoine, Arch. phot.: 1, 3, 6-9, 11, 17, 20, 21, 23-25, 27, 28, 30-32, 34-36, 38-43, 55. — Fleury (J. D.): 54. — Gaudin (S.): 37. — Giraudon: 4, 19, 29, 46. — Hessisches Landesmuseum: 2. — Mauret (J.): 56. — Weiss-Gruber: 53. —

Légende de la couverture: Cathédrale de Bourges, verrière de la Passion (détail), vers 1210.

ISBN 2-204-04059-21 (Cerf)
ISBN 2-7621-1463-2 (Fides)
ISSN 0986-4849

I

Origines

Les origines du vitrail demeurent mystérieuses. Si, au XIXe siècle, des érudits ont cru en avoir élucidé les secrets, on a aujourd'hui abandonné leurs hypothèses pour de multiples raisons, notamment celles qu'apportent de récentes découvertes archéologiques.

Les antécédents du vitrail

Le verre en tant que matériau est connu depuis le IIIe millénaire avant notre ère. L'Égypte semble avoir été le lieu où s'est développée cette industrie. Les peintures d'une tombe de Tell el-Amarna, en moyenne Égypte, retracent les étapes de la fabrication du verre soufflé *, destiné à des objets creux comme des fioles à parfum ou des vases funéraires (1800 av. J.-C.). En partant de la technique de la pâte de verre coulée dans des moules, d'autres peuples méditerranéens arri-

* L'astérisque renvoie au glossaire en fin de volume.

vaient à un résultat analogue. Si l'emploi du verre creux est attesté par des trouvailles archéologiques — souvent admirables par leurs qualités technologiques — et par des textes, il en est tout autrement de celui du verre plat destiné à un usage pratique. Aucune trace archéologique n'en a été repérée avant le Ier siècle de notre ère. A Pompéi, des baies* des bâtiments publics ou des maisons des familles patriciennes étaient closes par des montures décoratives en stuc ou en plâtre dans lesquelles des pièces de verre ou de fines plaques translucides d'albâtre étaient enchâssées. Dans ses lettres, Pline le Jeune décrivit plusieurs de ces cloisons ou claustra* appelées aussi transennes* (c'est-à-dire des plaques ajourées de marbre ou de pierre) qui permettaient, d'une part, d'assurer pleinement le clos de l'édifice et, d'autre part, d'en régler la lumière intérieure.

La technique de la claustra connut un développement privilégié autour de la Méditerranée et au Moyen-Orient pendant le Ier millénaire. En Égypte, des exemples ont été découverts lors de fouilles sur des sites de monastères coptes, notamment à Saqqara. Ils remontent probablement aux VIe et VIIe siècles. Pour le monde byzantin, on citera les fenêtres multicolores de Sainte-Sophie à Constantinople décrites au VIe siècle par Paul le Silentiaire et celles de Saint-Démétrius à Salonique. L'Islam s'est aussi intéressé à ce type de décor, utilisé notamment pour éclairer les palais omeyyades en Syrie, notamment celui de Qasr-el-Heir-Gharbi, près de Palmyre, construit pendant le deuxième quart du VIIIe siècle, ou des mosquées.

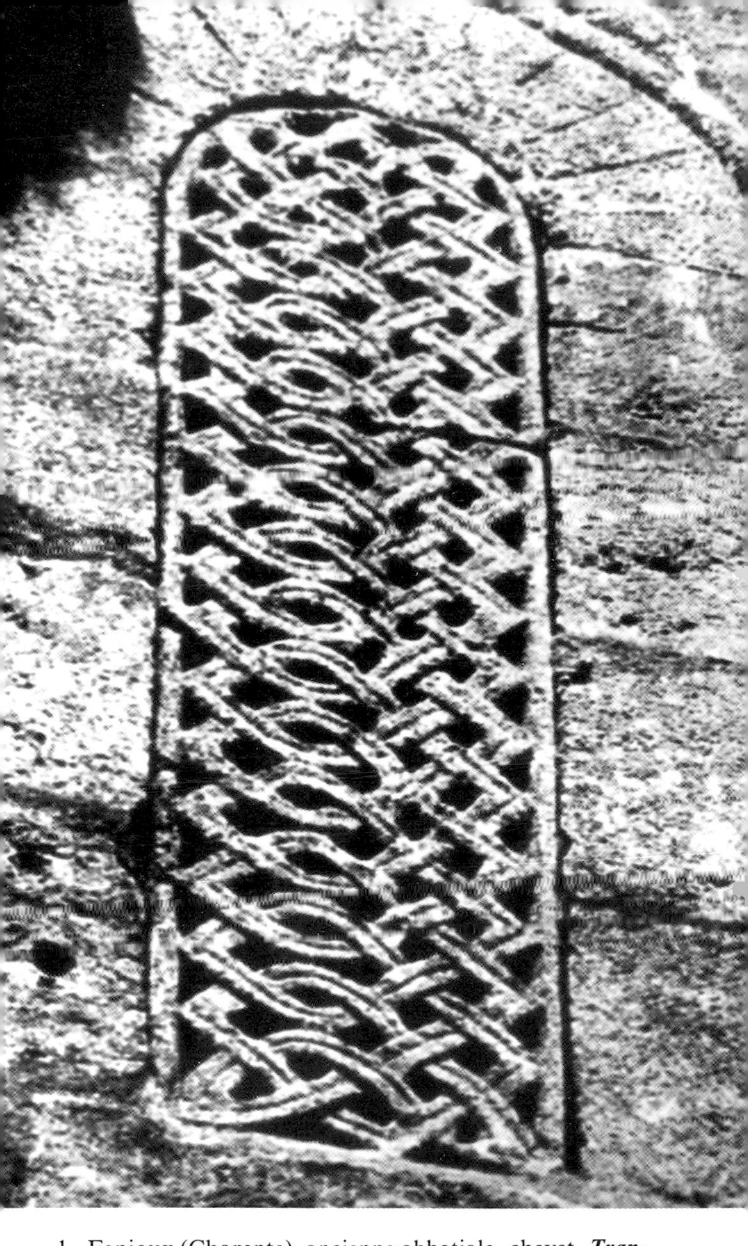

1. Fenioux (Charente), ancienne abbatiale, chevet, ***Transenne***, XIe siècle. h. 2 m env., l. 0,60 m.

Le système de dalles ajourées* avait déjà été adopté lors de la construction d'églises paléochrétiennes qui, dans leur majorité, suivaient des modèles architecturaux empruntés aux basiliques civiles impériales. Il se transmit d'autant plus aisément que dès saint Augustin (354-430), la lumière était considérée comme la manifestation la plus tangible de la présence de Dieu. La christianisation a donc probablement contribué à la diffusion des claustra dont la vogue perdure aujourd'hui encore dans le monde islamique.

Les origines du vitrail en Occident

L'Occident chrétien a recouru probablement à ce mode d'éclairage et de décor pendant tout le haut Moyen Age. Progressivement, les assemblages en plomb se substituèrent aux montures de stuc ou de plâtre, et même de bois. Les différents procédés de montage durent même être utilisés concurremment ; en raison de ses qualités propres, le plomb* s'imposa à un moment impossible à dater. Ce matériau, souple et ductile, permettait d'augmenter la surface réservée aux verres ; cela fut essentiel lorsque l'imagerie religieuse se développa sur ce type de décor. Qu'il donne une lumière colorée à l'édifice ne constitue pas la seule originalité du vitrail médiéval en Occident ; c'est parce qu'il est peint, par opposition aux transennes paléochrétiennes qu'on suppose avoir été presque toujours aniconiques, c'est-à-dire sans images. Comme dans le cas du sertissage des verres par des baguettes de plomb, on ignore le moment précis où ce décor devint le support d'une image.

Les plus anciens témoins, s'ils donnent des preuves tangibles de la présence de peinture sur des verres plats, restent néanmoins difficiles à interpréter. Il s'agit toujours d'éléments provenant de sites archéologiques : les pièces sont souvent déterrées cassées et leur restitution reste problématique. Il en est ainsi des trois fragments qui subsistent d'une cive* peinte d'un Christ debout entre l'alpha et l'oméga. Mises au jour lors des travaux de restauration de Saint-Vital de Ravenne, ces pièces, qui dateraient de la construction de cet édifice, c'est-à-dire du milieu du VIe siècle, sont considérées comme le plus ancien spécimen de peinture sur verre conservé en Occident. Néanmoins, aucune assurance ne peut être donnée en ce qui concerne la composition, la pose de la peinture et le mode de sertissage de ces éléments, aujourd'hui exposés au Musée archéologique de Ravenne. Plus convaincante est la découverte de pièces peintes montées en plomb trouvées sur le site de l'abbaye de Jarrow, au nord d'York, dans une couche archéologique antérieure au VIIIe siècle.

De nombreux récits hagiographiques du Ier millénaire témoignent, en effet, de la présence de vitraux dans des églises et des abbatiales ; le plus connu, raconté par Grégoire de Tours, met en scène un mécréant qui voulait voler les verres d'une fenêtre de l'église d'Yseure (Allier) pour y retrouver l'or qui les composait. Plus tardif, datant du IXe siècle, un autre texte raconte comment un aveugle, resté une nuit auprès du

2. Darmstadt, Hessisches Landesmuseum,
Fragments de tête
provenant de l'abbatiale de Lorsch, IXe siècle (?),
h. 0,31 m, l. 0,28 m.
(les parties en noir indiquent les manques).

3. Strasbourg, musée de l'Œuvre Notre-Dame
Tête provenant de l'abbatiale de Wissembourg,
vers 1060 (?),
diam. 0,25 m.

tombeau d'un saint, en l'occurrence celui de saint Ludger dans l'abbatiale de Werden, près d'Essen, y recouvra la vue au matin et montra immédiatement les vitraux figurés qui ornaient les fenêtres. Le livre des *Miracles de saint Benoît*, dont la rédaction remonte au Xe siècle, évoque un incendie qui fit fondre les plombs des vitraux à l'abbaye de Fleury-sur-Loire (aujourd'hui Saint-Benoît-sur-Loire).

Les vestiges archéologiques de la période carolingienne offrent peu d'intérêt à l'exception des fragments d'une tête nimbée, découverts lors d'une fouille de l'abbatiale rhénane de Lorsch, près d'Heidelberg, en 1934-1935. Ces débris, patiemment rassemblés, forment une tête de saint. Celle-ci est d'une assez grande taille (plus de 30 centimètres de hauteur) et se présente de front. Le nimbe est coupé dans un verre de couleur différent de ceux du visage et de la chevelure que les effets de la corrosion ont noircis. La facture accentue le caractère hiératique du visage : la peinture, posée en traits rigides et forts, s'autorise quelques fantaisies dans le dessin des boucles et des oreilles.

Une autre tête, à peine plus petite que celle de Lorsch, conservée au musée de l'Œuvre Notre-Dame à Strasbourg, se situe dans la même tradition, bien que plus récente. Elle provient de l'abbaye alsacienne de Wissembourg, rebâtie au milieu du XIe siècle, d'où la date qui lui est attribuée. Comme la précédente, elle est rigoureusement frontale, et le visage est encadré d'une chevelure en torsade : même graphisme de la barbe, du nez et des oreilles que sur la tête de Lorsch. En revanche, la pose de la peinture (si elle n'a pas été retouchée) est relativement proche de celle utilisée à l'époque romane : deux couches de lavis* et un trait* de contour ; les parties en pleine lumière sont sans peinture, comme le recommandait le moine Théophile dans son livre de recettes, *Schedula diversarum artium*, dont on parlera dans un autre chapitre. Il est possible qu'en raison de leur taille voisine, ces deux « incunables » du vitrail étaient présentés telles des icônes, probablement encastrés au milieu d'une vitrerie* dont ils étaient les seules parties peintes.

D'autres éléments, notamment deux autres têtes, l'une découverte à Magdebourg et perdue pendant la dernière guerre avant d'avoir été convenablement étudiée, la seconde mise au jour lors de fouilles entreprises entre 1964 et 1968, à l'abbaye de Schwarzach, en pays de Bade, apportent la preuve que le vitrail historié existait déjà au XIe siècle. Il s'agit, en effet, de pièces de petites dimensions, qui présentent des rapports stylistiques avec des manuscrits ottoniens contemporains. On se souviendra de la description donnée dans la *Chronique* de Saint-Bénigne de Dijon au milieu du XIe siècle d'une « verrière anciennement faite et conservée jusqu'à notre temps », illustrant le martyre de sainte Paschasie qui ornait une baie de cette abbatiale.

Les premiers vitraux en place ; les prophètes d'Augsbourg

Aucun des « incunables », précédemment cités, n'explique le prodigieux essor du vitrail au XIIe siècle, si ce n'est la série encore en place, celle des cinq prophètes (Daniel, David, Jonas, Moïse et Osée) de la cathédrale d'Augsbourg. Leur exécution remonte aux années 1100. Ce ne sont plus des fragments, mais des vitraux presque complets qui sont conservés sur place, même s'ils ne sont plus à leurs emplacements primitifs et si l'un d'eux est une copie du XVIe siècle (Moïse). Hautes de plus de 2 mètres, ces figures faisaient partie d'une série plus nombreuse ne comptant pas moins de vingt-deux personnages. Ils occupaient les fenêtres hautes de la nef et du chœur oriental, et composaient un vaste programme théologique et historique, réunissant personnages de l'Ancien et du Nouveau Testament autour du Christ et de la Vierge. Leur facture combine une préciosité ornementale, caractéristique du vitrail roman, à une monumentalité qui est, au contraire, inhabituelle à l'époque romane.

Primitivement entourées d'une large bordure décorative, ces figures s'intègrent par leur présentation de face et par le traitement formel des visages, dans la tradition des têtes de Lorsch et de Wissembourg. La ressemblance s'arrête là : les prophètes d'Augsbourg, par le jeu subtil de la coupe des verres, par l'adaptation des figures à la forme cintrée des baies, par la précision de l'exécution, constituent un authentique chef-d'œuvre qui laisse perplexe. Il y a un énorme

« hiatus » entre cet ensemble et les vestiges archéologiques. Force est d'admettre que le vitrail avait déjà acquis au début du XIIe siècle, du moins dans certaines régions, une maîtrise technique et stylistique, même une virtuosité, dont on ne peut plus être juge.

II

Un art monumental

La première caractéristique du vitrail est d'être un art monumental. Il joue, en effet, un rôle privilégié par rapport à l'architecture de l'édifice. Servant de cloison, il ne doit jamais laisser passer les intempéries. Il assure surtout l'éclairage du monument selon des principes architecturaux qui ont évolué au cours des siècles.

Jusqu'au XIIe siècle, en Occident, les modes de construction des édifices religieux imposent de petites ouvertures en cas de voûtement en pierre. La lumière naturelle est contrôlée à l'intérieur de l'église au moyen de plaques translucides * qui la tamisent en une douce pénombre, ou par des dalles ajourées en pierre dont le graphisme, souvent virtuose, préfigure un jeu subtil du vitrail. Ce n'est plus l'obscurité des temples païens. Mais il manque en général le verre et la couleur. Le remplacement progressif de la résille de pierre par de fines baguettes de plomb comme précédé d'assemblage permet d'augmenter la surface réservée aux verres et accélère probablement le développement du vitrail. L'exaltation de la lumière par les théologiens, l'assimilation de l'église à la Jérusalem céleste — la cité de

Dieu —, qui n'est qu'architecture scintillante de matériaux éclatants de couleur, le favorisent aussi.

Conditions du vitrail roman

Les constructeurs romans sont donc soumis à des règles strictes : les murs servent à porter la voûte, empêchant le percement de baies grandes et nombreuses. La fenêtre magnifie la lumière qui, pénétrant en faisceaux étroits dans l'édifice, doit conserver toute son intensité, d'où la coloration claire des vitraux de cette période. Par exemple, l'emploi de verres blancs en grandes plages, notamment pour les fonds des compositions, est relativement fréquent et s'explique par le besoin d'assurer un maximum de clarté au bâtiment.

L'époque gothique

Les principes de l'architecture gothique déterminent un mouvement inverse à partir du milieu du XIIe siècle. Dès que les baies s'agrandissent et se multiplient, le vitrail ne peut plus garder une coloration aussi vive et fonce. Cette transformation s'accomplit en plusieurs décennies. Au chœur de l'abbatiale de Saint-Denis, construit entre 1140 et 1144, l'emploi de la croisée d'ogives

4. Saint-Denis, ancienne abbatiale,
Le chevet et le déambulatoire construits à l'initiative de Suger,
1140-1144.

entraîne un nouveau traitement de la surface murale : les baies sont plus nombreuses et leur tracé se développe. Pourtant, les verrières commandées par Suger conservent une coloration franche. Il se crée une sorte d'émulation entre l'architecte qui multiplie les percements et le peintre verrier qui les utilise tout en sachant qu'il doit harmoniser ses productions avec l'architecture. Cette attitude explique la gamme de plus en plus soutenue choisie par les ateliers. Les verrières de la Sainte-Chapelle et du haut chœur de la cathédrale du Mans constituent les exemples les plus réussis de cette tendance.

Lorsque cette formule aboutit à une coloration trop vive, elle est abandonnée plus ou moins rapidement en Angleterre et en France. Les édifices reviennent à des volumes moins importants mais complexes quant à leur articulation structurelle, notamment par la multiplication des chapelles qui nécessitent chacune un éclairage propre. La croisée d'ogives développe un jeu subtil des moulures et les baies adoptent un tracé de plus en plus compliqué. Ces transformations impliquent le retour à une gamme éclaircie. Le vitrail de « pleine couleur » est remplacé par une verrière mixte *, c'est-à-dire associant panneaux de couleur à des parties claires qui vont prendre de plus en plus de place dans l'ensemble de la fenêtre. Plus on avance dans le XIVe siècle, plus on constate ce blanchiment du vitrail qui s'accompagne d'une perte de monumentalité. Dans des régions aussi distantes les unes des autres que le sud de la France, l'Italie et surtout l'Empire, l'essor des églises-halles, à un seul étage et sans déambulatoire, inspirées des constructions des

5. Laon, ancienne cathédrale, transept.
L'ensemble de la rose et des baies fermant le bras nord du transept privé de ses verrières déposées en 1939.

6. Paris, Sainte-Chapelle du Palais.
Étage supérieur,
entre 1242 et 1248.

ordres mendiants, obligent à d'autres rapports entre le vitrail et l'architecture. Les baies, particulièrement celles du chevet, se développent sur toute l'élévation du monument en de longues et étroites lancettes* que surmontent de petits tympans. Pour parvenir à un éclairage clair unifié, les verriers s'ingénient à trouver des solutions originales qui renforcent les liens entre les deux arts. Ils y réussissent en agrandissant par exemple les dais qui surmontent les scènes ou les figures, surimprimant ainsi à l'architecture du monument une architecture imaginaire de verre, vivement colorée. Ces immenses dais, peuplés d'oiseaux et ornés de feuillages, accentuent le caractère immatériel et poétique de l'édifice qui évoque tout à fait les descriptions de la Jérusalem céleste, comme à la chapelle Sainte-Catherine, à la cathédrale de Strasbourg (vers 1340).

Au xve siècle, la peinture non translucide domine, mais cela ne provoque pas encore de divorce entre l'architecture et le vitrail. L'attachement aux formules gothiques demeure toujours manifeste et suscite même un retour à une coloration franche, voire brutale, phénomène qui se poursuit au xvie siècle.

L'époque moderne

La Renaissance avec son goût pour les formes de l'architecture antique aurait dû être fatale au vitrail traditionnel en ne tolérant que des vitreries blanches. Les prescriptions post-tridentines,

7. Sées, cathédrale.
Étage supérieur,
début du XIVe s.

en réaménageant l'édifice chrétien, en l'ornant de nombreux retables et de statues, condamnent le vitrail à disparaître plus que ne le fait l'application des formules architecturales « à l'italienne ».

Il faudra attendre le milieu du XIXe siècle et l'architecture métallique pour voir de nouveaux rapports s'instaurer entre le vitrail et l'architecture, même si cette nouvelle technique s'intéresse surtout au verre et à l'architecture civile. Et là, ce sont les efforts de Jacques Gruber (1870-1936), un des maîtres de l'école de Nancy, d'Horta (1861-1947) à Bruxelles, qui permettent à un vitrail enrichi de décors floraux de se déployer sur d'immenses surfaces pour former des vérandas ou des coupoles servant de voûtes à des banques ou à des grands magasins.

En voulant apporter aux édifices qu'ils construisent une unité spatiale, notamment dans le domaine religieux, les architectes contemporains se sont enfin aperçus, après bien des expériences, de l'intérêt majeur que présente le vitrail à cet égard. Les recherches actuelles montrent que la relation entre le décor vitré et son cadre architectural peut donner lieu à de multiples solutions à condition de respecter l'un et l'autre. C'est ce que voulait et réussit Matisse à la chapelle des dominicaines de Vence :

> Dans la chapelle, mon but principal était d'équilibrer une surface de lumière et de couleurs avec un mur plein, au dessin noir sur blanc (propos rapportés par R. Escholier, *Matisse, ce vivant*, Paris, 1956, p. 256).

III

Significations

Les fenêtres vitrées qui sont dans l'église et par lesquelles [...] se transmet la clarté du soleil signifient les Saintes Écritures, qui repoussent de nous le mal, tout en nous illuminant.

Écrite vers 1200 par Pierre de Roissy, chancelier du chapitre de Chartres et directeur de l'école de théologie, au moment où la nouvelle cathédrale gothique de Chartres se parait de verrières, cette phrase acquiert une signification historique et symbolique. Signification historique: l'architecture gothique atteint à Chartres sa pleine maturité: la surface murale diminue. Elle est remplacée par des ouvertures immédiatement occupées par des verrières historiées et figurées. Il est peu de moments où se crée une si grande symbiose entre une pensée religieuse et un art, comme c'est le cas au XIIIe siècle, entre la doctrine chrétienne et le vitrail. Signification symbolique due à la matière même du vitrail, le verre qui laisse passer et renvoie la lumière alors considérée comme la preuve la plus tangible de la présence divine. Valeur moralisante enfin : la vue de ces images monumentales et translucides apaise le fidèle, une fois passé le seuil de l'église, et le conforte dans sa foi. Le vitrail tient alors une place exceptionnelle qui résulte de cheminements spirituels et théologiques sur la lumière, instruits dès les premiers penseurs chrétiens.

Symbolique de la lumière

La Bible, notamment les psaumes, décrivent Dieu comme « vêtu d'un habit de lumière ». Les évangiles font de même avec son Fils : « Je suis la lumière du monde » (Jn 8, 12). Les premiers Pères de l'Église ont repris la même idée et ont assimilé Dieu à la lumière, tel saint Ambroise pour qui « le Père est Lumière, et le Fils est Lumière, et le Saint-Esprit est Lumière » (*De spiritu sancto*, I, 14). Cette notion ne fait que grandir jusqu'au XIIIe siècle. Dresser le catalogue des écrits, des commentaires qui identifient Dieu à la lumière serait fastidieux, tant cette notion est ancrée dans la mentalité chrétienne. Développée par des néo-platoniciens tel Plotin, affermie au IXe siècle par Raban Maur et Jean Scot Érigène, cette idée est devenue évidente, presque banale, au XIIe siècle grâce à l'action grandissante de prédicateurs comme saint Bernard ou Alain de Lille qui transmettent les concepts des clercs. Ce n'est pas hasard si le vitrail commence alors à acquérir un « primat artistique » qu'il va conserver pendant presque deux siècles.

Translucidité

A la valeur mystique de la lumière s'ajoutent d'autres phénomènes connexes qui profitent à l'essor du vitrail en tant que manifestation divine. Le plus important concerne la translucidité du verre dont les gens du Moyen Age n'arrivent pas à comprendre le secret. Ce mystère les déroute. Saint Bernard en est subjugué et le compare à celui de l'Incarnation :

> Comme la splendeur du soleil traverse le verre, sans le briser, et pénètre sa solidité de son impalpable subtilité sans le trouer quand elle entre et sans le briser quand elle sort, ainsi le Verbe de Dieu, lumière du Père, pénètre l'habitacle de la Vierge et sort de son sein intact.

Le verre n'est pas considéré, contrairement à la pierre, comme une matière inerte, d'autant qu'il est susceptible de changer de couleur, non seulement suivant les heures du jour, au gré du soleil, mais aussi en fonction de sa composition même, comme en témoigne le moine Théophile dans son traité sur les arts rédigé en Occident vers 1125 :

> Je me suis efforcé de connaître, comme un explorateur curieux, par tous les moyens, par quel artifice ingénieux la variété des couleurs faisait l'ornement d'un travail sans repousser la lumière du jour et les rayons du soleil (*Schedula diversarum artium*, II, prologue).

Coloration

Le vitrail fascine tout autant par le jeu de ses couleurs dont les effets varient suivant la mobilité du soleil. Le Moyen Age est séduit par la magie que suscite la vision d'une verrière scintillante comme une pierrerie. Le parallèle entre les verrières qui illuminent l'intérieur de l'église et les pierres ruisselantes de matériaux précieux dont est bâtie la Jérusalem céleste de l'Apocalypse s'impose aux clercs dès le haut Moyen Age.

> Les assises de son rempart sont rehaussées de pierreries de toute sorte : la première assise est de jaspe, la deuxième de saphir, la troisième de calcédoine, la quatrième d'émeraude, la cinquième de sardoine, la sixième de cornaline, la septième de chrysolite, la huitième de béryl, la neuvième de topaze, la dixième de chrysoprase, la onzième d'hyacinthe, la douzième d'améthyste. Et les douze portes sont douze perles [...] (Ap 21, 19-21).

De nombreux textes indiquent que, dès cette époque, on recherche en Occident la possibilité de donner au vitrail une place essentielle dans l'église, mais les modes de construction ne sont pas adaptés à la conception d'édifices où la lumière pénétrerait abondamment. L'image idéale du temple chrétien se fixe mentalement avant de pouvoir l'être matériellement. Il faut attendre le milieu du XIIe siècle et l'abbé Suger qui emploie aussi le terme *saphirum*, ou saphir, pour évoquer les verres bleus dont il fait parer les fonds des médaillons des verrières historiées* du nouveau chœur de Saint-Denis.

Nous portons encore aujourd'hui cette conception du vitrail ancrée en nous. Elle a d'ailleurs traversé les siècles. C'est cette poétique que nous retrouvons dans les verrières de la Sainte-Chapelle conçues comme des murs de lumière pour abriter les reliques de la Passion du Christ ; dans ces images de donateurs qui, au XVe siècle, se font représenter en prière, accompagnés de leurs saints patrons qui seront au moment de la mort leurs intercesseurs auprès de Dieu ; dans ces vitraux-tableaux, comme celui de la *Bataille de Clavijo*, œuvre du Picard Mathieu Bléville, à Notre-Dame-en-Vaux de Châlons-sur-Marne, en 1525 ; moins évidente au XIXe siècle, sauf dans la littérature par le truchement d'un Huysmans, d'un Théophile Gautier. Depuis que des peintres comme Bissière, Chagall, Fernand Léger, Matisse et Léon Zack ont fait retrouver au vitrail le chemin de la peinture, ils nous invitent à retrouver l'émerveillement.

Peinture

Le vitrail est aussi une peinture qui obéit à une technique complexe. La réalisation d'une verrière demande plusieurs étapes en commençant par l'élaboration du carton* et le choix des verres, opérations qui en commandent l'exécution. L'artiste les accomplit en deux temps, alors qu'elles sont simultanées dans le cas de la

8. Chartres, cathédrale, déambulatoire, Vie de saint Jacques, détail, ***Les Fourreurs donateurs***, vers 1210, h. 0,60 m, l. 0,45 m.

peinture non translucide : procéder au dessin du carton et assortir les verres dont les couleurs subissent un rayonnement inégal en sont les premiers stades.

D'autres phases participent tout autant à la définition du style, qu'il s'agisse de la coupe des verres ou de la pose de la peinture. Lorsque les verres sont coupés en pièces de petit calibre*, comme au début du XIIIe siècle, l'effet est impressionniste ; de grande taille, comme dans les vitraux-tableaux du XVIe ou du XIXe siècle, ils contribuent à l'unité de ces larges compositions. La pose de la peinture, nommée grisaille*, est peut-être le stade essentiel du travail puisqu'il matérialise le graphisme du carton et module les transparences des verres, parfois trop crues, au moyen de lavis. Sa composition, à base d'oxyde de cuivre ou de fer, a peu changé depuis l'ouvrage du moine Théophile, mais sa pose s'est transformée et se transforme encore au gré des effets recherchés par les artistes et leurs commanditaires.

Employée en trois couches successives, selon les prescriptions de Théophile, sur les panneaux romans de la cathédrale de Châlons-sur-Marne, brossée à grands traits énergiques sur les figures d'apôtres et de prophètes qui occupent les baies de l'étage supérieur des cathédrales au XIIIe siècle, la grisaille tend dès le début du XIVe siècle à être appliquée selon des principes nouveaux qui la font rechercher les effets de la peinture non translucide : la touche picturale apparaît, en substitution des traditionnels procédés décoratifs réalisés par un travail d'épargne sur la grisaille juste posée. L'emploi de pinceaux comme le putois* qui sert à moduler la couche de peinture (ou lavis*), et de la brosse qui, au contraire, sert à l'égaliser, se généralise et renouvelle les possibilités plastiques.

Autour de 1300, l'invention du jaune d'argent*, un sel d'argent capable de modifier la coloration d'une pièce, sans recourir à une coupe, selon la loi de complémentarité des couleurs, répond à la préciosité alors désirée. La concordance entre un style qui recherche une écriture formelle apurée et une innovation technique que représente une nouvelle teinture répond à une nécessité. Faut-il rappeler qu'en moins d'un quart de siècle, un grand nombre d'ateliers européens l'utilisent avec plus ou moins de dextérité.

Aux siècles suivants, les peintres verriers cherchent de plus en plus à se conformer à l'évolution stylistique de la peinture non translucide tout en conservant au vitrail ses qualités spécifiques. Ils y réussissent, explorant les ressources techniques propres au vitrail et les exploitant pour en tirer des nouveautés qui agrandissent son champ pictural. Ainsi ont œuvré André Robin à Angers, Arnoult de Nimègue en Normandie, Guillaume Marcillat à Arezzo et bien d'autres.

Si le XIXe siècle est moins préoccupé par cet aspect inhérent à l'art du vitrail en raison de son engouement pour le pastiche archéologique, il n'en est pas de même aujourd'hui. Pour preuve la réussite éclatante de verrières exécutées d'après des cartons de peintres, comme Vieira da Silva à Saint-Jacques de Reims ou Jacques Villon à la chapelle du Saint-Sacrement à la cathédrale de Metz. Les exigences plastiques, dont sont maintenant animés plusieurs peintres verriers qui créent et réalisent leurs cartons, en portent aussi témoignage.

Iconographie

Peinture, le vitrail est souvent porteur d'une iconographie. Au Moyen Age, celle-ci est essentiellement religieuse et représente les figures du Christ, de sa Mère, qu'accompagnent souvent les apôtres, les prophètes et des saints, ou illustrent des récits sacrés, des dogmes et même des sermons. La transcription en images monumentales se plie à des règles qui définissent une hiérarchie des thèmes en fonction de leurs emplacements dans l'édifice. Ce code iconographique remonte probablement au XIIe siècle, mais il reste trop peu de vitraux romans à leurs places originelles pour en être assuré. Les nombreux ensembles de la première moitié du XIIIe siècle, conservés en France, fournissent en revanche d'excellents repères.

L'étage inférieur est réservé à des verrières historiées ; chacune traite d'un sujet spécifique ; elle est composée de nombreux compartiments distribués en deux ou trois ensembles d'une grande invention formelle. La même pensée directrice réunit une série de vitraux en un programme cohérent qui peut s'étendre aux baies de la nef comme à la cathédrale de Chartres, ou se réduire à celles du chevet comme à Laon, ou encore se dérouler sur l'ensemble des baies du déambulatoire et des chapelles rayonnantes comme à Bourges. En ce dernier cas, les sujets ont été vraisemblablement choisis par l'archevêque saint Guillaume de Bourges, théologien averti, et les verrières ont été posées quelques années plus tard, après la mort de celui-ci en 1209, mais avant 1215. D'une exceptionnelle densité d'intention, les thèmes déploient une suite de comparaisons théologiques, à partir des paraboles du Christ, et morales tirées des vies de patriarches, de prophètes et de saints.

Les fenêtres des chapelles retracent en principe la ou les vies des saints auxquels elles sont consacrées. Celles de la chapelle axiale, dédiée à la Vierge, accueillent des sujets mariaux. Outre les saints familiers comme les apôtres ou encore saint Nicolas, les institutions commanditaires, les chapitres par exemple, choisissent de préférence des figures appartenant à leur environnement religieux (par exemple saint Lubin à Chartres, saint Mammès à Auxerre). Elles peuvent aussi privilégier des saints dont elles conservent des reliques. Des faits d'histoire politique ou religieuse encouragent des développements iconographiques. Ce n'est pas un hasard si les évêques d'Angers et de Coutances choisissent après la conquête de l'Anjou et de la Normandie par Philippe Auguste, au début du XIIIe siècle, de consacrer une verrière de leur cathédrale à Thomas Becket. Ils glorifient, certes, une grande figure de l'Église, mais ils montrent aussi leur allégeance au pouvoir capétien. Au milieu du siècle, à la cathédrale du Mans, les abbayes bénédictines du diocèse (Évron et Saint-Calais) offrent chacune un vitrail pour une baie du

9. Beauvais, église Saint-Étienne,
nef, mur est, côté nord,
Arbre de Jessé, détail,
Un roi, vers 1522-1525,
h. 1,25 m, l. 0,90 m.
(Sur un galon de la manche, se lisent ROB [OAM] et ENGR.
Ce dernier mot a été interprété
comme la signature de l'artiste
dont ce serait le portrait.)

déambulatoire intérieur qui raconte l'histoire miraculeuse de leur fondation.

A l'étage supérieur, c'est la formule déjà ancienne du personnage placé sous un dais qui connaît un essor considérable. Autour du Christ, accompagné parfois de la Vierge, dans la baie axiale, s'ouvre un cortège de prophètes au nord, et d'apôtres, de martyrs et d'évêques légendaires au sud. Immenses, rendues immatérielles par leur éloignement du sol, ces figures apparaissent, par leur configuration, comme les « gardiens » de la Jérusalem céleste : « ... vision de paix, bâtie en pierres vivantes dans les cieux », comme il est chanté depuis le xe siècle à chaque nouvelle consécration d'église.

Les créations iconographiques les plus spectaculaires n'en demeurent pas moins les roses*, d'autant qu'elles sont situées à des emplacements privilégiés : le revers de la façade occidentale et les murs terminaux des transepts. Leur évolution, lente à l'époque romane, devient étonnante tout au long du XIIIe siècle, passant par des formules architectoniques de plus en plus osées destinées à accueillir des programmes glorieux comme au revers de la façade occidentale de Notre-Dame de Paris (vers 1220), cosmiques comme au bras nord du transept de la cathédrale de Laon (vers 1200), ou encore eschatologiques comme au revers de la façade de Chartres consacrée au Jugement dernier (vers 1215). Ces compositions sont parfois complétées par un autre ensemble de verrières comme au bras sud du transept de Chartres où les cinq verrières de la galerie sous la rose consacrée à la glorification du Christ forment avec cette dernière un admirable programme, qui sublime le rôle de la Vierge en tant que symbole de l'Église. Représentée couronnée et nimbée, portant son Fils dans la lancette centrale, la Vierge est flanquée de chaque côté par deux prophètes portant chacun sur leurs épaules un évangéliste.

La même ordonnance s'est grosso modo maintenue au cours des siècles en dépit des modifications qui affectent ces mentalités religieuses. La Passion du Christ qui s'impose à la Sainte-Chapelle au milieu du XIIIe siècle comme sujet de la verrière axiale demeure le choix habituel pour cet emplacement. Pour preuve, les nombreuses maîtresses-vitres* des églises bretonnes qui au XVIe siècle lui sont consacrées. De même, les fenêtres hautes continuent en principe d'accueillir prophètes et apôtres même s'il s'agit de l'illustration du Credo, thème qui connaît un essor considérable au XVe siècle. Au XVIIe siècle encore, les baies du haut chœur de Saint-Eustache de Paris sont magnifiées par la présence de monumentales figures d'apôtres et de docteurs de l'Église, groupées autour du saint patron de l'édifice dans la baie axiale.

Le courant néo-gothique a revivifié la tradition médiévale qui devient, néanmoins, moins stricte : la formule du personnage sous dais architectural, réservée jusqu'alors aux baies des étages supérieurs, envahit les fenêtres basses. Depuis Vatican II et le renouvellement des lieux liturgiques, on assiste à une nouvelle distribution des thèmes des vitraux en fonction de leur emplacement dans l'édifice. A la cathédrale de Saint-Dié, le nouveau décor vitré, commandé en 1982 à une équipe de maîtres verriers ayant pour chef de file Bazaine, s'organise autour d'un thème symbolique intitulé « Mort et Résurrection ».

Les formules iconographiques évoluent suivant les époques. Elles sont souvent d'une grande concision au XIIe siècle. Les verrières comptent un nombre restreint de médaillons réunis les uns aux autres par de grosses broches * (ou fermaillets *) et entourés par une large bordure à motifs décoratifs. Pendant la première moitié du XIIIe siècle, tout est sacrifié à l'illustration du récit symbolique ou du cycle hagiographique : les bordures rétrécissent. Au contraire, les compartiments historiés se multiplient dans la même verrière, principe qui atteint son point ultime avec les verrières de la Sainte-Chapelle au milieu du siècle. Après 1260, on note un revirement radical : on revient, au moment du développement de la verrière mixte, à deux ou trois scènes ou figures par fenêtre. L'image retrouve alors une densité qu'elle avait perdue à la Sainte-Chapelle.

Le vitrail-tableau, dont la vogue commence au milieu du XVe siècle, autorise de vastes compositions unifiées où les personnages sont décalés sur plusieurs plans. C'est naturellement cette tendance qui triomphe au XVIe siècle, alors que le vitrail tend à se rapprocher encore plus de la peinture non translucide.

Prier Dieu et lui offrir un objet, notamment une verrière pour sa demeure, c'était l'honorer. Les donateurs occupent une place particulière dans l'imagerie du vitrail médiéval car ils s'y font représenter, les artisans et marchands dans l'exercice de leur métier, les clercs et les seigneurs

10. Bourg-en-Bresse, Brou,
église Saint-Nicolas de Tolentino,
chapelle Sainte-Marguerite,
Assomption de la Vierge, détail;
Philibert de Savoie présenté par son saint patron,
1525-1528, h. 3 m env., l. 2,20 m.

agenouillés, certains présentant même au Christ ou à la Vierge la verrière qu'ils viennent de donner. A partir de la fin du XIIIe siècle, ils n'hésitent pas à figurer plusieurs fois, comme le chanoine Raoul de Senlis à la cathédrale de Beauvais (vers 1290), d'autres à se réserver une lancette, tel le chanoine Raoul de Ferrières à la cathédrale d'Évreux (après 1325). Un siècle plus tard, ils s'approprient l'ensemble des lancettes d'une fenêtre. Accompagnés de leur famille, ils sont présentés par leur saint patron qui devra intercéder en leur faveur au moment de leur passage à la vie éternelle. Les tympans aux multiples ajours* peuplés d'anges forment une sorte d'apothéose céleste et introduisent les donateurs dans le monde paradisiaque auquel ils aspirent après la mort.

Quelles leçons tire le fidèle de ces images monumentales ? Suivant qu'il est clerc, seigneur, paysan ou marchand, il n'a pas le même degré de compréhension. Le laïc ne pénètre que dans la nef puisque le chœur lui est interdit sauf lors de processions. Il ne reconnaît que certaines images, les plus familières et les plus courantes. Lorsque Pierre de Roissy ou Guillaume de Mende, plus tard, donnent une valeur didactique au vitrail, ils pensent aux clercs. On doit abandonner l'idée reprise au cours des siècles et développée par Paul Claudel que le vitrail était le « catéchisme des pauvres ». Il l'est devenu au XIXe siècle car les rapports entre le clergé et les fidèles avaient changé.

11. Évreux, cathédrale,
haut chœur, côté nord,
Le chanoine Raoul de Ferrières présentant la verrière qu'il offre à la Vierge,
vers 1325,
h. 3,45 m, l. 1,55 m.

IV

Métier et technique

Du maître verrier médiéval, qui dirige le chantier d'une cathédrale, à celui qui aujourd'hui travaille seul ou en équipe, les tâches varient peu, en dépit de l'évolution des techniques et des modifications sociales de la profession. Les procédés de la fabrication du vitrail au Moyen Age nous sont connus grâce à l'ouvrage du moine Théophile que nous avons déjà mentionné. Contribution essentielle à l'histoire des techniques artistiques alors utilisées (enluminure, peinture murale, orfèvrerie et vitrail), ce « livre de recettes » consacre l'une de ses trois parties aux activités du verre depuis sa fabrication jusqu'à la confection des vitraux en passant par celle des vases. Créer une verrière demeure toujours une opération longue et difficile, dont les étapes de fabrication sont restées les mêmes depuis le Moyen Age, requérant jusqu'à une époque récente une main-d'œuvre nombreuse, remplacée maintenant par une organisation polyvalente des tâches.

Fabrication du verre

Pour Théophile, la fabrication du verre est le premier stade d'élaboration d'une verrière. Aujourd'hui, le verre est un matériau banal, omniprésent dans la vie quotidienne. Il est obtenu par la fusion à une température qui se situe entre 1200 et 1500 degrés d'un élément vitrifiant, la silice, et de matières potassiques qu'on associe à un fondant* accélérant l'opération. Des oxydes métalliques*, ajoutés selon un savant dosage pendant la fusion, teintent le verre dans la masse.

A l'époque de Théophile, au contraire, c'est un produit coûteux, rare car difficile à réaliser, et le moine y consacre donc plusieurs chapitres de son livre. Il donne d'abord la recette, empirique, de la pâte de verre en préconisant un mélange fait pour deux tiers de cendres végétales — c'est-à-dire de matières potassiques — et pour le dernier tiers de sable de rivière lavé en guise de silice. Le verre fabriqué à partir d'une telle préparation manque de dureté et se dégrade donc facilement sous l'action de l'humidité atmosphérique.

Les procédés de coloration des verres sont tous aussi expérimentaux et les résultats souvent aléatoires, d'autant que les composants de la pâte de verre ne peuvent être débarrassés complètement de leurs impuretés faute de moyens appropriés. Mélangée à des oxydes métalliques, déjà utilisés comme colorants, la pâte de verre réagit différemment suivant la concentration d'oxyde employée ou le temps de cuisson. Les colorants sont généralement tirés de minerais tel le cobalt, extrait en Bohême au XIIe siècle à partir du « safre » (oxyde bleu de cobalt) et avec lequel sont réalisés les fameux « bleus » de Chartres, inaltérés jusqu'à aujourd'hui, des trois verrières de la façade occidentale de la cathédrale (1150-1155). L'oxyde de cuivre est utilisé pour plusieurs couleurs, le manganèse pour la gamme des pourpres. Le verre rouge est le seul à ne pas être coloré dans la masse. Son colorant, le protoxyde de cuivre, particulièrement envahissant, ne laisse que peu passer la lumière. Pour pallier cet inconvénient, on utilise le procédé du verre plaqué*, c'est-à-dire composé de deux feuilles superposées, l'une rouge et l'autre incolore.

Cette dernière méthode s'étend aux autres couleurs de la gamme à la fin du XIIIe siècle pour permettre des travaux de gravure, notamment en cas d'armoiries ou de blasons. A partir du XIVe siècle, la qualité des verres se modifie : la fabrication de la pâte de verre devient moins empirique grâce à un meilleur apurement des sables et des cendres végétales, et à des modes de fusion plus réguliers. Puis, au XVIe siècle, apparaît le verre dit « vénitien* » composé de plusieurs couleurs. Les verres dits « américains* ou « Tiffany », c'est-à-dire en relief ou dichroïques*, renouvellent les effets du vitrail à la fin du XIXe siècle. Après 1920, l'emploi des verres à reliefs mécaniques*, fabriqués en série, se généralise jusqu'aux années 40.

LA FABRICATION ANCIENNE DU VERRE
PAR SOUFFLAGE

PAR MANCHON

Le verrier prend une boule de verre en fusion (A). Il la façonne en la faisant tourner à plusieurs reprises (B). Il la souffle en forme de bouteille (C et D), puis sectionne ce cylindre aux deux extrémités. Le cylindre s'appelle un manchon (E). Il fend le manchon sur toute sa longueur (F et G). Puis il l'étale avec une spatule en bois (H).

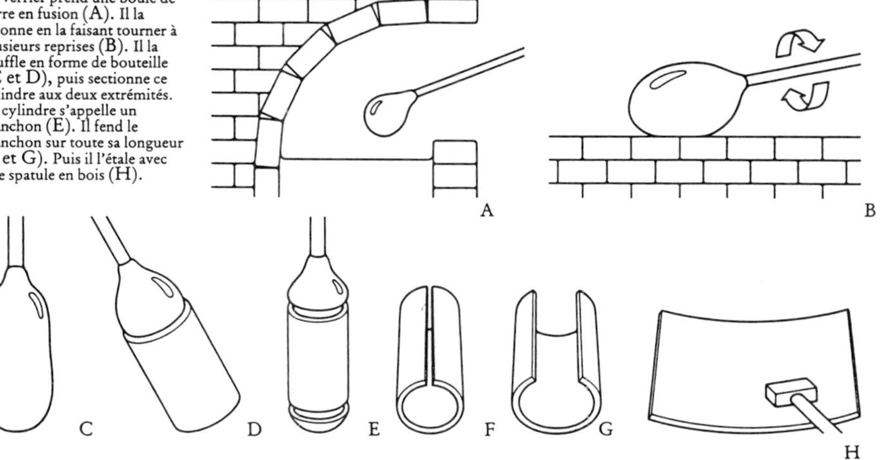

LA FABRICATION ANCIENNE DU VERRE PAR SOUFFLAGE

PAR PLATEAU OU CIVE

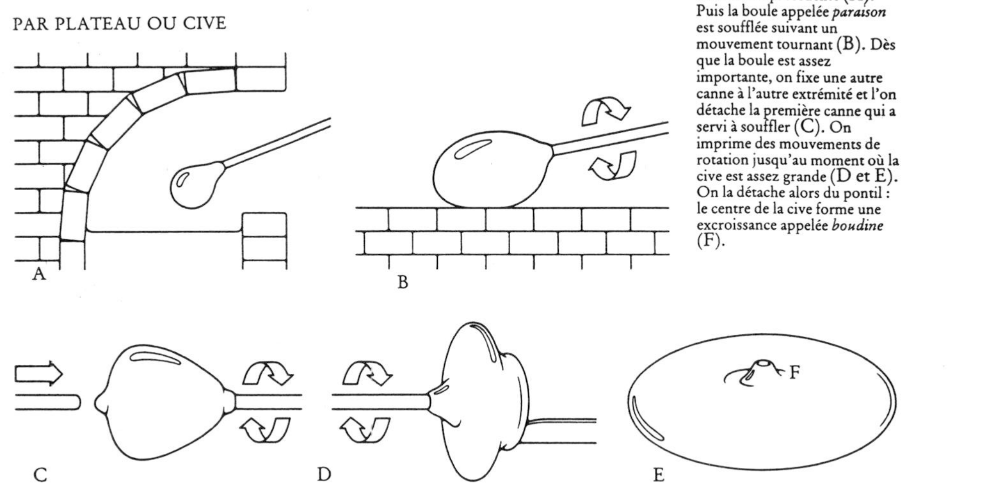

Les deux premières opérations sont les mêmes que dans la fabrication précédente (A). Puis la boule appelée *paraison* est soufflée suivant un mouvement tournant (B). Dès que la boule est assez importante, on fixe une autre canne à l'autre extrémité et l'on détache la première canne qui a servi à souffler (C). On imprime des mouvements de rotation jusqu'au moment où la cive est assez grande (D et E). On la détache alors du pontil : le centre de la cive forme une excroissance appelée *boudine* (F).

Soufflage du verre

La pâte de verre est ensuite soufflée selon deux procédés. Théophile n'en mentionne qu'un, celui du manchon*, car la région où il vit, produit depuis le haut Moyen Age du verre creux (vases et bouteilles). Cette méthode est toujours en usage. Le verrier cueille une boule de verre en fusion nommée « paraison* » et la souffle en un long cylindre grâce à un mouvement de balancier. Puis, avec l'aide d'un apprenti nommé gamin, il la fend, la ramollit au four et étend sa surface avec une spatule de bois de façon à obtenir une plaque.

Le second procédé est celui du plateau ou de la cive, sorte de disque de diamètre variable. Il est presque abandonné aujourd'hui. Le verrier commence l'opération comme dans le procédé du manchon en soufflant la paraison. Lorsque cette dernière est devenue une boule de taille suffisante, un second ouvrier fixe une tige métallique ou pontil* à son autre extrémité et lui imprime un mouvement rotatif jusqu'à ce qu'elle soit plate. Il détache ensuite le pontil dont l'empreinte forme une excroissance ou boudine*. Cette méthode qui s'impose en France jusqu'à la fin du XIVe siècle se reconnaît aisément : le verre forme des stries concentriques.

Quelle que soit la méthode choisie, le verre obtenu est épais et inégal : les peintres verriers savent néanmoins tirer un parti esthétique de ces irrégularités et même des accidents de coloration imprévisibles. On doit abandonner l'hypothèse formulée au XIXe siècle concernant l'installation de verreries à proximité des chantiers de cathédrales. Les verreries sont situées à l'orée des forêts, près d'un cours d'eau où l'on trouve facilement du sable et du bois qui fournit le combustible nécessaire à la marche des fours et les matières premières indispensables.

Confection d'un vitrail

Les étapes de création d'un vitrail se déroulent toujours comme au temps du moine Théophile en plusieurs opérations: création du carton*, mise au point de la coloration, coupe des verres, peinture, cuisson des pièces peintes, sertissage* en plomb et enfin pose, panneau* par panneau, du vitrail dans une baie de l'édifice. Si ces phases demeurent presque les mêmes, les méthodes et les moyens utilisés se sont en revanche modifiés.

Maquette. Aujourd'hui, le premier travail consiste, une fois les mesures de la baie prises, à établir une maquette qui doit donner l'idée du vitrail achevé au commanditaire. Exécutée en principe à l'échelle du dixième, elle comporte déjà la composition graphique et chromatique du vitrail, le tracé des plombs ainsi que l'armature* du vitrail qui le divise en panneaux.

Carton, tracé et calibrage. Dès que la maquette est acceptée par le commanditaire, le peintre la représente en grandeur d'exécution, créant ainsi le carton du vitrail où tout doit être soigneuse-

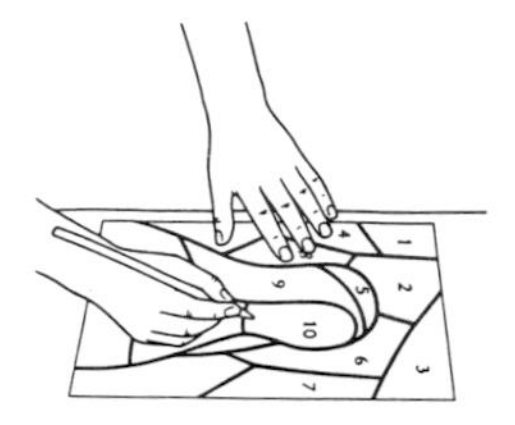

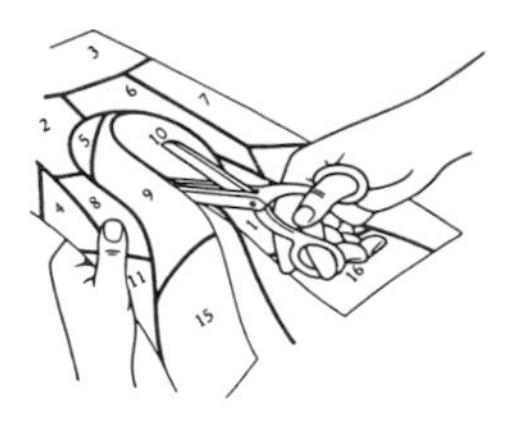

1. ***Le découpage du carton :*** à gauche, le tracé : avec un calque, le peintre relève le tracé des plombs sur le carton et numérote les pièces.
A droite, il découpe avec une paire de ciseaux à triples lames les calibres en carton qui lui permettront de couper les pièces de verre.

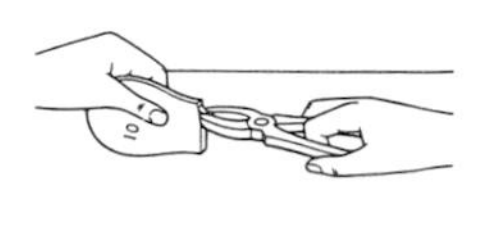

2. ***Coupe des verres :*** à gauche, coupe au diamant. A droite, correction de la pièce coupée avec un grugeoir.

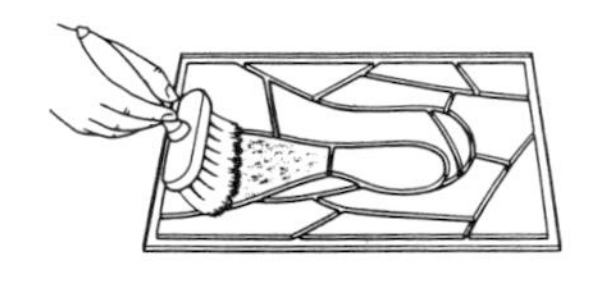

3. ***Pose de la peinture :*** à gauche, après avoir fait une mise en plomb provisoire, le peintre peint en posant son panneau sur une table transparente et en appuyant ses avant-bras sur un petit banc.
A droite, un exemple particulier de pose de la peinture : le blaireautage.

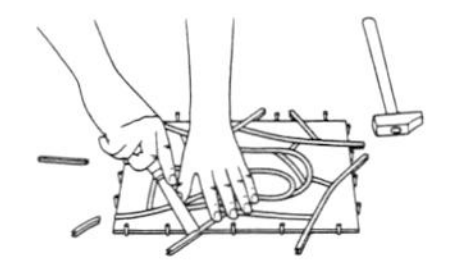

4. ***Mise en plombs :*** à gauche, le peintre place les pièces dans les rainures des plombs.
A droite, il coupe les plombs au ras des pièces et les maintient avec des clous.

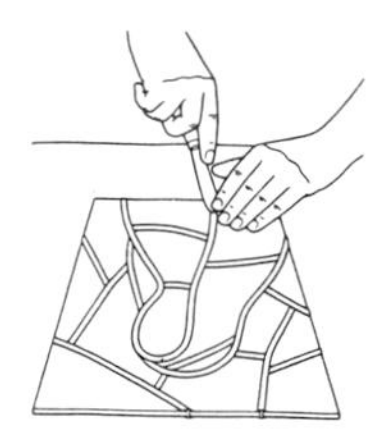

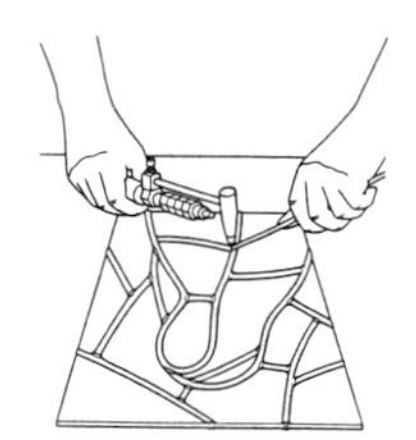

5. ***Mise en plombs*** (suite) : à gauche, le peintre rabat de chaque côté les ailes avec une spatule de bois.
A droite, à la jonction de chaque plomb, il procède à une soudure à l'étain qui consolide la résille de plombs.

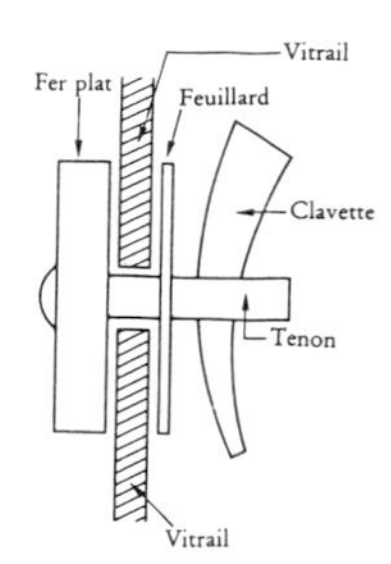

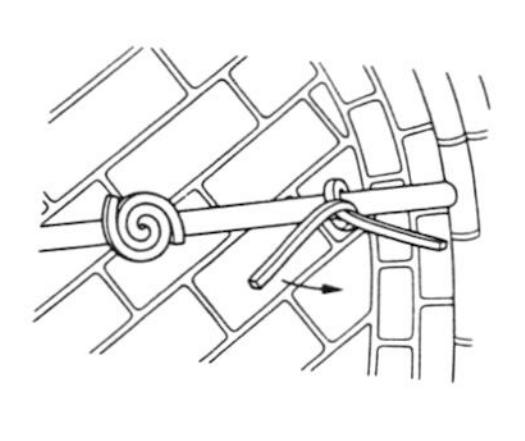

6. ***Mise en place de la verrière dans la baie :*** à gauche, schéma de la mise en place d'un panneau dans son armature.
A droite, pose d'une vergette.

ment tracé, qu'il s'agisse de la couleur des pièces, du graphisme de l'ensemble ou de celui de la résille de plomb. Puis il le calque avant de le reporter à l'aide d'un papier carbone sur un autre papier fort : c'est le tracé sur lequel chaque panneau et chaque pièce sont numérotés. Le carton, affiché au mur, servira de repère pendant le temps que durera la réalisation du vitrail ; le tracé sera découpé suivant la forme des pièces à l'aide de ciseaux à trois lames* permettant d'enlever une languette de papier qui correspond à l'épaisseur de l'âme* du plomb. Les pièces ainsi découpées s'appellent des calibres* et sont employées pour découper les verres à leur forme.

L'opération s'est beaucoup transformée depuis Théophile. Le peintre verrier utilisait une table enduite de craie et réalisait directement le modèle de sa verrière en grandeur d'exécution, y traçant à la peinture noire ou à la mine de plomb les pièces dont les couleurs étaient indiquées par des lettres. Une seule « table de verrier » en bon état a été jusqu'à présent retrouvée. Conservée au musée de Gérone, elle date du début du XIVe siècle et reproduit un panneau ornemental d'une des verrières encore en place du haut chœur de la cathédrale.

L'utilisation de supports plus souples, le tissu au XIVe siècle, le carton à partir du siècle suivant, condamne la méthode suivie par Théophile et préfigure le procédé aujourd'hui employé.

Coloration. Vient ensuite une des phases importantes de l'opération, celle de la coloration, que le peintre verrier détermine en fonction de la situation et de la destination du vitrail dans l'édifice. Il doit interpréter avec justesse les valeurs des verres suivant leur transparence qui est variable selon leur couleur et leur emplacement dans la baie. La coloration participe, en effet, à la définition du style de l'œuvre et varie selon les ateliers ou les époques.

Les calibres dûment numérotés sont placés sur les plaques de verre afin d'entreprendre la coupe. Depuis la Renaissance, celle-ci s'effectue au moyen d'un diamant* qui ne coupe pas le verre, mais l'entame seulement. Il faut ensuite détacher la pièce de la plaque soit en pressant avec les doigts, soit à l'aide d'un petit marteau ou marteline*. Les bords de la pièce sont ensuite égalisés avec une pince ou grugeoir*. A l'époque de Théophile, l'opération consiste à peindre le contour des pièces avec un pinceau enduit de lait de craie et à en suivre le tracé préalablement mouillé avec un fer porté au rouge. Les éventuelles imperfections sont rectifiées, comme aujourd'hui, à l'aide du grugeoir.

Pose de la peinture. Si l'artiste le souhaite ou si la maquette le demande, l'étape suivante est essentielle puisqu'il s'agit de la pose de la peinture qui vise à modifier et à moduler la translucidité des verres. Le peintre procède à l'opération soit en travaillant verticalement à la lumière naturelle, soit en posant le panneau sur une table transparente.

Une seule peinture vitrifiable appelée grisaille* a été utilisée jusqu'au XIVe siècle. Cette dernière se compose d'oxyde de cuivre ou de fer pulvérisé et d'un fondant — toujours du verre finement broyé — mélangés à du vin ou du vinaigre, parfois de l'urine, additionnés de gomme arabique ou d'essence de térébenthine selon l'opacité désirée. Brune dans le cas de l'oxyde de cuivre, noire pour le fer, la grisaille est appliquée à froid en principe sur la face interne des verres au moyen de différents pinceaux ou brosses qui ont chacun un usage précis: les uns servent à faire les traits de contours, les autres, comme le blaireau*, à étendre la peinture en grandes plages. Les derniers, appelés putois, à poils drus et courts, s'emploient pour « ébouriffer » les surfaces peintes que le peintre anime parfois par un travail d'épargne ou d'enlevés* sur la grisaille juste sèche. La grisaille se pose par couches successives selon quelques procédés dont le trait*, le lavis ou demi-teinte. Les parties qui restent en pleine lumière ne reçoivent aucune peinture.

Au XIIe siècle, Théophile préconise son application en trois valeurs d'épaisseur variable selon une méthode qui n'est que l'adaptation au vitrail des procédés utilisés dans les domaines de la peinture murale et de l'enluminure.

Au XIIIe siècle, l'agrandissement des baies oblige le peintre à un traitement plus rapide, limité à une couche de grisaille. Chaque peintre, chaque atelier élabore ses propres références picturales, d'une part, en continuant à utiliser les procédés déjà en usage au Moyen Age et, d'autre part, en recourant à d'autres apparus depuis.

Depuis les années 1300, les maîtres verriers enrichissent leur palette avec une nouvelle teinture, le jaune d'argent, qui n'est ni une grisaille ni un émail*. Préparation à base de chlorure ou de sulfure d'argent, le jaune d'argent, qui s'ap-

14. Pose de la grisaille selon la méthode préconisée par le moine Théophile : les « Trois valeurs * » ou couches de grisaille appliquées successivement sur la ***tête de la Vierge,*** du médaillon de la Rédemption exécuté avant 1147 et conservé au Trésor de la cathédrale de Châlons-sur-Marne :
1) le lavis,
2) le modelé ou demi-teinte,
3) le trait de contour,
(d'après L. Grodecki).

plique à froid sur la face externe des verres, colore le verre en jaune selon des tonalités variées et modifie la coloration des autres verres en fonction de la loi de complémentarité des couleurs sans recourir à une coupe.

A partir de la fin du XVe siècle, les ateliers se mettent à employer une nouvelle couleur vitrifiable, la sanguine*, appelée aussi « jean cousin* », du nom d'un peintre sénonais du XVIe siècle. A base d'hématite de fer, cette peinture de couleur brun-rouge sert à rendre les carnations des visages.

Cherchant toujours à renouveler les effets du vitrail et à imiter les méthodes de la peinture non translucide, les peintres verriers appliquent à partir du milieu du XVIe siècle des émaux de couleurs variées sur le verre. Au début de cette vogue, les émaux sont uniquement employés par petites touches pour rehausser les détails d'un paysage ou d'un costume. Économiques, ils permettent de colorier la même pièce de verre en plusieurs couleurs sur de petites surfaces. Progressivement la peinture à l'émail supplante l'emploi de la grisaille. Au XIXe siècle, l'émail sera souvent associé avec la peinture à la grisaille qui prendra aussi des teintes variées.

Gravure. Le peintre a aussi la possibilité de modifier la coloration des verres en les attaquant avec un acide pour obtenir des tonalités dégradées. L'opération se nomme gravure. Son usage remonte à la fin du XIIIe siècle. Elle s'effectue sur des verres plaqués dont la couche colorée est retirée à l'aide d'une lime de fer ou de la poudre d'émeri et est réservée à des travaux minutieux comme la confection d'armoiries ou de blasons. Aujourd'hui, la gravure est l'un des moyens les plus fréquemment utilisés par les créateurs pour rechercher de nouveaux effets, en cas notamment de verrières non figuratives.

Cuisson. Les grisailles, le jaune d'argent, la sanguine et les émaux se fixent par cuisson aux environs de 600 degrés. C'est une phase délicate car la température doit monter doucement. On a toujours essayé d'améliorer la fixation de la grisaille sur le verre par une meilleure cuisson : une grisaille mal cuite a tendance à s'écailler ; un verre trop cuit se déforme et se boursoufle.

Le four décrit par Théophile était constitué d'un ensemble voûté en maçonnerie et ouvert. A partir du XIVe siècle, il est fermé et doté d'un regard permettant de surveiller la cuisson. Au XVIIIe siècle, on place des témoins ou plaquettes de verre dans le four afin de contrôler les éventuelles déformations en cas de surchauffe. Les fours marchent aujourd'hui à l'électricité, après avoir été au bois, au coke, puis au gaz jusqu'à une époque récente. Les pièces sont posées sur des plaques métalliques et recouvertes de plâtre déshydraté avant d'être enfournées. Les verres font souvent l'objet de plusieurs cuissons, et de ce fait deviennent encore plus fragiles. Cette dernière méthode a été souvent suivie par les ateliers au XIXe siècle.

Mise en plomb ou sertissage. Une fois les pièces refroidies, on procède à la mise en plomb qui consiste à sertir chaque pièce de verre dans une baguette de plomb*, constituée de deux ailes* et d'une âme* d'épaisseur et de largeur variables. Très malléables, elles adoptent les contours des pièces.

Les pièces sont insérées tour à tour dans une rainure du plomb et maintenues par des pointes ou des clous sur une table, puis les plombs sont coupés au ras des pièces de verre. Lorsque toutes les pièces qui composent un panneau ont été serties — le carton affiché au mur servant de repère —, on rabat les ailes avec une spatule de bois et on soude avec une baguette d'étain* les points de jonction des plombs afin de consolider l'ensemble.

Les plombs du XIIe et du XIIIe siècle sont différents de ceux utilisés depuis le XIXe siècle : leur âme est épaisse et leurs ailes étroites, ce qui augmente la solidité de la mise en plomb. A partir de la fin du XVe siècle, ils sont étirés et assouplis au tire-plomb*, ce qui rend le sertissage plus facile mais réduit leur résistance. Depuis le XIXe siècle, ils sont en principe fabriqués industriellement, sauf en cas de restaurations prestigieuses.

Étanchéité. Puisque le vitrail est une cloison, son étanchéité doit être excellente. La mise en plomb terminée, on introduit un mastic* à base de blanc d'Espagne avec un pinceau sous les ailes des plombs, dont on retire le surplus avec de la sciure absorbant le mastic resté sur les bords.

Pose dans la baie. On attend plusieurs jours avant d'entreprendre la pose du panneau dont la superficie n'excède pas 1 mètre carré, sinon il serait trop lourd et difficile à manipuler. A l'évidence, plus la verrière est importante, plus le nombre des panneaux est élevé.

Avant de commencer l'opération, l'on prendra soin de vérifier les feuillures de pierre de la baie qui doivent être en excellent état et on installera une armature métallique. Le maître verrier fait appel à d'autres corps de métier comme le serrurier et le maçon en cas de révision des remplages (ce sont les réseaux de pierre à l'intérieur de la fenêtre).

L'armature se compose de barres de fer en forme de T ou de double U, appelées barlotières *, dans lesquelles les panneaux sont glissés. Une fois les panneaux montés, on procède au calfeutrement des feuillures de pierre avec du mortier et de l'armature avec du mastic. Pour assurer la rigidité des panneaux, on place à intervalles réguliers de petites barres de fer rondes ou vergettes * tenues par des attaches qui sont soudées aux plombs.

Les premiers vitraux étaient posés sur des châssis de bois dont on a conservé quelques exemples, puis dans des armatures en fer forgé. Au XIIe siècle et au début du XIIIe siècle, les barlotières deviennent un élément important de l'ordonnance des vitraux car elles sont forgées à la forme des panneaux (surtout des compartiments historiés, donnant ainsi toutes sortes de combinaisons graphiques).

Aujourd'hui, certains accusent le vitrail d'être une technique millénaire qui n'arrive plus à se renouveler. C'est vrai parfois. Ses procédés ont peu évolué, mais leurs effets, au contraire, se sont transformés, prouvant la richesse de ses moyens d'expression et ses capacités à s'adapter :

Le bon matériau est celui qui offre au créateur le maximum de technique possible. Jusqu'à ce jour, aucun matériau ne peut rivaliser avec le verre, le plomb et la grisaille. On n'a pas fini d'inventer ce que l'on peut faire avec cette technique millénaire (Paul Virilio, « Introduction » au catalogue *Mille Ans de vitrail*, Strasbourg, 1965).

V

XIIe siècle

Il reste peu de vitraux du XIIe siècle conservés dans leurs baies d'origine et encore moins dans leur ordonnance primitive. Des jalons, des repères essentiels manquent pour restituer l'histoire des ateliers laïcs et monastiques qui se sont consacrés à cette technique alors en plein essor. Le temps, les hommes, de nombreuses restaurations ont malmené ces œuvres fragiles dont parfois ne demeurent, comme aux verrières du déambulatoire de Saint-Denis, qu'un seul panneau pour appréhender le style d'un peintre.

Originalité du vitrail roman

Les vitraux romans frappent par leur clarté. Conçus pour éclairer des églises sombres dont les baies sont de dimensions modestes, ils doivent laisser le maximum de lumière pénétrer dans l'édifice, de là vient leur coloration franche et unifiée. Donner le plus possible de luminosité aux vitraux justifie la gamme claire alors utilisée :

beaucoup de blanc même dans les fonds des médaillons, des bleus légers. Celui des trois verrières de la façade occidentale de la cathédrale de Chartres (vers 1150-1155), s'il constitue l'exemple le plus célèbre, n'est pas unique : ceux des panneaux de Saint-Denis présentent un rayonnement aussi intense et sont restés aussi inaltérés. Les autres teintes étonnent par leurs couleurs franches, qu'il s'agisse du vert et du jaune dont les tonalités varient selon les lieux, ou des pourpres utilisés pour les visages. Même quand les structures de l'architecture gothique modifient, à partir du milieu du siècle, l'éclairage des édifices, les conventions chromatiques des vitraux romans restent sensiblement les mêmes : une baie gothique peut, comme à Saint-Denis, accueillir un vitrail à la coloration encore romane.

Au XIIe siècle, le vitrail, qui est un art monumental, reste proche de techniques artistiques précieuses comme l'émaillerie. C'est alors une mosaïque de petites pièces aux formes souvent complexes. L'exécution confirme ce caractère ouvragé digne d'œuvres d'orfèvrerie. Un grand nombre de vitraux sont surabondamment ornés : les fonds des compartiments historiés sont décorés de petits motifs (des rinceaux, des quadrillages), d'un effet analogue à des travaux de niellure (il s'agit d'un procédé décoratif avec incrustation d'un émail noir dans les creux d'une pièce gravée) ou d'émaillerie. Comme l'ornementation d'une verrière romane le prouve, les compartiments historiés sont cernés par plusieurs galons comme des perlés, des frises de palmettes rythmées de pastilles colorées. Entre

15. Le Mans, cathédrale,
nef, côté sud, L'Ascension, détail,
La Vierge et Trois Apôtres,
vers 1130-1140,
h. 0,60 m env., l. 0,45 m.

les médaillons, des motifs végétaux relient les compartiments les uns aux autres ou se déploient en accolade. Les bordures, généralement larges, sont composées d'éléments végétaux enrichis de galons eux-mêmes ornés de motifs variés. D'un atelier à l'autre, les mêmes modèles se retrouvent: seuls le graphisme, la facture et la coloration changent.

Les vitraux romans présentent une ordonnance généralement simple. A l'étage inférieur, conçus pour une vision rapprochée, ils suivent deux formules. Dans le premier cas, ils se composent de compartiments historiés superposés, un à deux par registre, entourés de larges bordures comme à la nef de la cathédrale d'Angers (vers 1160-1180). Cette formule que les spécialistes nomment légendaire* s'enrichit dès le dernier quart du siècle, comme à la verrière de *Saint Pierre* à la cathédrale de Lyon (vers 1190), en augmentant le nombre des médaillons de chaque registre. L'autre formule se limite à une seule image occupant l'ensemble de la baie: le thème de l'Arbre de Jessé fournit d'excellents exemples de cette ordonnance à Saint-Denis et à Chartres. Les fenêtres hautes sont en principe occupées par des figures en pied ou trônant et abritées sous des arcatures ou de petits dais, d'apôtres, de prophètes groupés autour de celle du Christ dans la baie axiale.

Une unique fenêtre réunit quelquefois un programme d'une extraordinaire densité théologique comme la *Crucifixion* du chevet de la cathédrale de Poitiers. Contrairement au XIIIe siècle où le même thème est distribué entre plusieurs verrières, le programme se concentre dans un seul vitrail dont l'iconographie, très savante, transcrit plusieurs concepts parfois difficiles à décrypter. Les verrières de Suger en sont l'exemple le plus connu. Mais beaucoup d'autres vitraux de cette époque le sont tout autant comme ceux, déjà mentionnés, d'Arnstein-sur-la-Lahn dont le programme témoigne d'une maturité iconographique exceptionnelle, insistant sur les correspondances entre l'Ancien et le Nouveau Testament.

Parmi les thèmes, l'Arbre de Jessé, trouve au chevet de Saint-Denis une place privilégiée dans l'une des deux baies de la chapelle axiale, accompagnant une Enfance du Christ (après 1140). La composition dionysienne servira de modèle aux ateliers français et anglais pendant plus d'un siècle, alors que l'Empire germanique y ajoutera les événements majeurs de la vie du Christ comme au vitrail de la cathédrale de Fribourg-en-Brisgau, à l'origine dans la baie axiale du chevet et remonté aujourd'hui dans le bras sud du transept (vers 1200).

Outre le Christ et la Vierge, le développement des récits hagiographiques enrichit le vitrail. Les commanditaires choisissent de faire représenter la vie de leur saint patron ou celui auquel est dédié l'édifice qu'ils ont en charge. Des événements de politique religieuse expliquent certains choix. La restauration de la primauté de Pierre sous le pontificat d'Alexandre III (1159-1181) entraîne la mise en place de vitraux qui lui sont consacrés dans plusieurs cathédrales, au Mans dont il ne reste que quelques panneaux (vers 1160), à Poitiers (1160-1165) et à Lyon (vers 1190).

Vitraux cisterciens

En plus des vitraux historiés ou figurés de pleine couleur, il existe un autre type de verrière composée de verres incolores et d'un usage sans doute courant. Il en reste fort peu d'exemples authentiques à l'exception de quelques panneaux conservés dans des édifices qui relevaient autrefois de l'ordre cistercien : Obazine (Corrèze), La Bénissons-Dieu (Loire). Rejetant toute forme de richesse dans ses lieux de culte, cet ordre monastique interdit aux moines de décorer leurs églises de verrières peintes et colorées. De cette prescription, renouvelée plusieurs fois au cours du XIIe siècle, naît un art du vitrail sans image et non peint qui pratique un vocabulaire ornemental archaïsant et utilise notamment l'entrelacs et la palmette. Des rapprochements pertinents ont pu, en effet, être établis entre le décor de ces panneaux cisterciens et celui de transennes (cf. chap. I) en pierre datant du haut Moyen Age.

Centres de production et ateliers

Longtemps on a admis que le vitrail est un art qui s'est développé au XIIe siècle dans le nord-ouest de l'Europe, notamment en Angleterre et dans les régions comprises entre la Loire et le

16. Obazine (Corrèze),
ancienne abbatiale cistercienne, nef,
Grisaille,
vers 1150,
h. 1,70 m, l. 1,20 m env.

Rhin. Pourtant l'aire de production du vitrail roman s'étend aussi à l'Auvergne, au Lyonnais, aux régions alpines et même à la Catalogne. Il est cependant des régions où rien n'a été conservé comme en Bourgogne. Des œuvres comme la *Vierge* de la Trinité de Vendôme (avant 1140) paraissent sans filiation. Enfin les ateliers n'ont pas été actifs en même temps et n'ont pas tous suivi la même évolution stylistique, preuve de leur vitalité et des possibilités qu'offrait déjà la technique du vitrail.

• *France*

Ouest. L'ouest de la France offre le plus grand nombre de vitraux romans, conservés non seulement au Mans, à Poitiers et à Angers, qui ont abrité des ateliers actifs pendant plusieurs décennies, mais aussi dans de petites églises d'Anjou et de Touraine.

A la cathédrale du Mans — fait unique dans le vitrail français du XIIe siècle —, on ne recense pas moins de sept ateliers entre 1130 et la fin du siècle, qui se rattachent aux différentes traditions graphiques et picturales d'ateliers de peintres et d'enlumineurs installés dans des centres ou de grands monastères voisins — Angers, Chartres, Le Mont-Saint-Michel. Par exemple, les panneaux de la célèbre *Ascension* (1130-1140) révèlent une maîtrise dans le graphisme et la couleur qui font de ce vitrail le chef de file de l'art figuré tel qu'il se pratique dans le domaine Plantagenêt, notamment en Limousin et en Poitou dans le deuxième quart du XIIe siècle.

Poitiers et Angers n'offrent pas la même diversité. L'ensemble des trois verrières du chevet plat, à la cathédrale de Poitiers, est exceptionnel par son caractère monumental : au centre, la *Crucifixion* encadrée au nord par une *Vie de saint Laurent* et au sud par celle des saints Pierre et Paul. La verrière axiale réunit les moments essentiels de la Rédemption. Une immense *Crucifixion* occupe la partie centrale de la fenêtre ; le Christ, les yeux grands ouverts, est cloué sur une croix pourpre évoquant à la fois sa souffrance et sa royauté. Au-dessous, la *Résurrection du Christ* est représentée comme à cette époque par l'épisode des saintes femmes au tombeau et dans la partie supérieure par une *Ascension* du Christ triomphant. Cette œuvre, qui s'insère aussi dans la mouvance stylistique à laquelle appartient l'*Ascension* du Mans, correspond néanmoins à une étape ultérieure de l'évolution de la peinture romane de l'Ouest, c'est-à-dire aux années 1160-1165.

Les vitraux romans de la cathédrale d'Angers rappellent le travail de plusieurs ateliers actifs pendant la seconde moitié du XIIe siècle. Ils se rattachent au même milieu stylistique par le graphisme des figures et l'ornementation, mais l'ordonnance des verrières, plus complexe qu'au Mans, annonce déjà l'art roman tardif.

Cette « école » de l'Ouest présente une cohérence stylistique grâce à une communauté d'inspiration avec la peinture murale et l'enluminure, très développées dans cette région. Les ateliers suivent des évolutions parallèles même si les styles divergent localement. Cet ensemble de panneaux et de vitraux permet de bien saisir ce

17. Gargilesse (Indre), église, abside,
Christ entouré du Tétramorphe, détail,
Le Christ,
vers 1200,
h. 0,40 m, l. 0,20 m.

qu'est la stylisation romane : proportions étirées des personnages, graphisme ornemental des plis et des drapés, rendus notamment par une pose de la peinture en lignes parallèles, accentuant la tension qui habite les personnages. Autour de ces trois importants centres de production, on peut grouper un certain nombre de panneaux dispersés dans des églises de Touraine et d'Anjou, et même du centre de la France, qui soulignent le dynamisme des ateliers actifs dans cette zone.

Ile-de-France. A cette tendance proprement romane s'oppose le groupe déjà protogothique d'Ile-de-France ou du « domaine royal », représenté principalement par les verrières de Suger à Saint-Denis (1140-1144), par celles de la façade occidentale de Chartres (1150-1155) et, à la fin du siècle, par la *Vierge de la Belle-Verrière* toujours à Chartres (vers 1180). Le médaillon de l'*Ascension* à Saint-Pierre de Chartres (1175), ceux d'une *Vie de saint Matthieu* remployés dans la rose du bras sud de Notre-Dame de Paris (vers 1180) et quelques panneaux, vestiges d'une verrière christologique, à l'église de Saint-Germer-de-Fly (vers 1180) sont moins connus. L'évolution de ce groupe disparate procède pour l'essentiel des expériences dionysiennes, du rayonnement du chantier où l'abbé Suger, comme il l'écrit, fait appel à des « maîtres de diverses nations » pour réaliser les verrières dont il orne le nouveau chœur de son abbatiale.

A Saint-Denis, les éléments authentiques sont peu nombreux, incorporés dans des fenêtres reconstituées au XIXᵉ siècle par des peintres sur verre travaillant sous la direction de Viollet-le-

18. Paris, musée de Cluny,
panneau de la vie de saint Benoit :
Moines assistant à la mort du saint (?),
provenant de l'ancienne abbatiale de Saint-Denis,
vers 1140-1144,
h. 0,74 m, l. 0,39 m.

Duc. Malgré des travaux préparatoires, ces restaurateurs n'ont pas compris les compositions et l'iconographie originelles qu'ils ont oblitérées. Des panneaux, enlevés des fenêtres, se retrouvent aujourd'hui dans des musées étrangers, spécialement aux États-Unis et en Angleterre. Tels qu'ils se présentent à nous aujourd'hui, démembrés et obérés, les panneaux dionysiens sont pourtant essentiels pour comprendre l'évolution du vitrail au XIIe siècle. Le chevet et le chœur de Saint-Denis inaugurent de nouveaux modes de construction puisqu'on y utilise la croisée d'ogives. Or, la composition et la coloration des verrières demeurent encore romanes et peu touchées par cette innovation capitale. A part l'*Arbre de Jessé*, dont l'ordonnance annonce l'espace pictural gothique, les autres panneaux se rattachent à des conventions déjà suivies par d'autres milieux artistiques : ainsi le *Signum Tau*, unique vestige d'une verrière typologique consacrée à la *Passion du Christ*, dépend-il de modèles issus de l'émaillerie mosane. Saint-Denis fut au temps de Suger un creuset où plusieurs tendances stylistiques ont convergé.

Les trois verrières de la façade occidentale de Chartres (1150-1155) comptent parmi les plus célèbres du monde. La baie axiale est occupée par une *Enfance du Christ* flanquée au sud d'un *Arbre de Jessé* et au nord d'une *Passion*, verrières auxquelles une restauration exemplaire, exécutée entre 1973 et 1976, rendit leur éclat primitif. Originellement, elles éclairaient une tribune surmontant un porche monumental, construit entre 1135 et 1155, et donnaient de la clarté à une nef romane sombre détruite lors de l'incendie de

1194. Sauvées de ce désastre et conservées au même emplacement, elles ont été intégrées au revers de la façade occidentale de la nef gothique. Leur rôle s'est trouvé modifié: la luminosité de ces œuvres est magnifiée, selon Émile Mâle, par le « fameux bleu qui émeut comme la révélation d'un autre monde ». C'est dans cette vaste leçon théologique à la gloire du Christ et de sa Mère, patronne de l'édifice, que l'on saisit l'alliance exceptionnelle entre une monumentalité jusqu'alors inconnue dans le vitrail historié et une ornementation qui reste précieuse.

La cathédrale romane de Chartres était ornée d'autres vitraux dont il ne reste qu'un panneau de bordure remployé dans une fenêtre du transept et surtout la *Vierge de la Belle-Verrière*. Exécutée vers les années 1180 pour un emplacement privilégié, sans doute la baie axiale du chevet de la cathédrale romane, cette figure de Vierge en majesté, rescapée aussi de l'incendie de 1194, fut réutilisée dans la cathédrale gothique en raison du symbole qu'elle représentait. Elle est alors complétée de figures et de scènes, notamment du *Miracle de Cana*, qui élargissent sa signification primitive en lui donnant une valeur liturgique en rapport avec l'exégèse mariale du premier quart du XIIIe siècle.

De l'activité des maîtres chartrains à l'extérieur du chantier de la cathédrale, il ne reste qu'un seul panneau, une *Ascension*, de peu antérieure à la *Vierge de la Belle-Verrière*, conservée à l'église Saint-Pierre, ancienne abbatiale bénédictine, dont la facture s'inscrit encore dans la tradition romane de l'Ouest.

Dès les dernières décennies du XIIe siècle, Paris

devient une capitale artistique, mais il ne reste de cette période que quelques médaillons d'une *Vie de saint Matthieu*, remployés dans la rose du bras sud du transept à Notre-Dame (vers 1180). Ces médaillons, dont on ignore la provenance, présentent des rapports stylistiques avec les vitraux champenois contemporains. Il en est de même des vestiges d'une verrière typologique* (où se répondent scènes de l'Ancien et du Nouveau Testament) conservés dans l'ancienne abbatiale de Saint-Germer-de-Fly (vers 1180?) aux confins du Vexin français.

Champagne. Les vitraux romans champenois appartiennent, en effet, à une autre mouvance stylistique, celle de l'art mosan. Les plus anciens panneaux conservés sont ceux de l'ancienne cathédrale romane de Châlons consacrée en 1147. (Décorant probablement le chœur reconstruit au XIIIe siècle, ils sont aujourd'hui, pour la plupart, exposés dans le trésor.) Le panneau essentiel est une *Crucifixion* accompagnée de scènes de l'Ancien Testament. Par son ordonnance, cette œuvre s'apparente à l'autel portatif de Stavelot, chef-d'œuvre de l'émaillerie mosane (vers 1140) conservé aux musées royaux d'Art et d'Histoire de Bruxelles. La peinture est posée selon les principes édictés par Théophile en trois couches d'intensité variable : un lavis pour régler la transparence des verres, une seconde pour renforcer les zones d'ombre et la dernière qui cerne les contours. Les autres panneaux châlonnais ne possèdent pas cette maîtrise de la forme à l'exception d'un médaillon, un peu plus récent que le précédent, illustrant l'histoire de la découverte des reliques de saint Étienne (vers 1155), dont le découpage du fond bleu en cercles concentriques accentue le caractère précieux.

La tradition mosane se maintient, jusqu'à la fin du siècle, à la verrière typologique (vers 1190) de l'ancienne abbatiale d'Orbais, non loin d'Épernay. Les panneaux de Troyes provenant vraisemblablement de l'ancienne collégiale Saint-Étienne dépendante du château des comtes de Champagne, aujourd'hui détruit, s'y rattachent aussi. Ces vestiges, actuellement dispersés entre plusieurs collections et musées français et étrangers, annoncent l'art antiquisant des années 1200. Leur graphisme, novateur, est proche de celui de manuscrits exécutés dans des monastères de Champagne méridionale comme celui de Clairvaux. Un dernier édifice champenois, Saint-Remi de Reims, abbatiale construite selon la tradition à l'emplacement du tombeau de l'évêque qui baptisa Clovis, accueille différentes séries de vitraux qui s'échelonnent des années 1160, époque de reconstruction partielle de l'édifice, à la fin du XIIe siècle. Ils sont sauvegardés dans un état souvent précaire. Ce sont des figures de patriarches, de prophètes et d'évêques légendaires de Reims qui, les unes, suivent des tendances encore mosanes, et les plus récentes des modèles déjà protogothiques.

Le groupe du Sud-Est. L'art du vitrail ne fut pas seulement un art septentrional. Quelques œuvres conservées en Auvergne et dans le Sud-Est en témoignent, même si elles suivent d'autres références iconographiques et stylistiques que celles déjà évoquées. Ces dernières se caractérisent par

19. Le Champ-près-Froges, église,
Ascension et Descente du Saint-Esprit
médaillon inférieur, détail,
Tête de saint Paul,
vers 1160,
h. 0,10 m.

l'adoption de schémas byzantinisants qui acquièrent un rayonnement exceptionnel dans le sud de l'Europe à partir du début du XIIe siècle. Le plus ancien témoin de ce groupe est l'admirable verrière de l'église rurale du Champ-près-Froges, village haut perché du Grésivaudan. Elle provient selon toute vraisemblance du prieuré clunisien de Domène, situé dans la vallée. Cette œuvre, très bien conservée, étonnante par ses couleurs franches, pourrait être l'unique témoin de ce qu'a pu être le vitrail clunisien du XIIe siècle. Un second vitrail, moins bien préservé, est une *Vie de saint Pierre*, conservée à son emplacement d'origine : la baie de la chapelle orientée au nord du chevet sur le transept à la cathédrale de Lyon (vers 1190). Le dernier exemple réunit un ensemble de panneaux dépareillés, la plupart illustrant une *Enfance du Christ*, remployés dans une baie d'une chapelle rayonnante de la cathédrale gothique de Clermont-Ferrand et dont l'exécution s'échelonne sur les quatre dernières décennies du XIIe siècle.

• *Empire*

Il ne reste que très peu de panneaux exécutés par des ateliers germaniques. A l'exception de l'ensemble d'Arnstein (1160) et des panneaux de la cathédrale de Strasbourg (1180-1200), les autres vestiges ne sont que des panneaux dépareillés. Théophile écrivit pourtant son traité dans un monastère de Rhénanie ou de Basse-Saxe. La seule signature de peintre verrier roman connue est celle de Gerlachus qui se représenta au bas d'un des panneaux d'Arnstein. Ce sont assurément des preuves du dynamisme du vitrail germanique au XIIe siècle.

L'ensemble d'Arnstein, qui ornait probablement les baies du chevet de cette ancienne abbatiale de prémontrés fondée en 1139, comptait primitivement cinq verrières dont celle de l'axe, comme à Saint-Denis, était consacrée à l'*Arbre de Jessé*. Les autres illustraient les rapports entre l'Ancien et le Nouveau Testament. De cet ensemble, il ne reste que cinq panneaux d'une facture menue et précieuse, caractéristique du style des ateliers du Rhin moyen, actifs pendant le troisième quart du XIIe siècle. En Westphalie, l'ensemble de Saint-Patrocle de Soest (vers 1165), corrodé et fragmentaire, suit des tendances voisines. En Rhénanie, les mêmes formules se prolongent pendant la première moitié du XIIIe siècle, comme en témoignent les verrières du chevet de Saint-Cunibert de Cologne (1215-1235).

Les témoins les plus remarquables, une vingtaine de panneaux, sont conservés à la cathédrale de Strasbourg ou sont exposés au musée voisin de l'Œuvre Notre-Dame. Ils ont été exécutés pour orner la nef de la cathédrale ottonienne reconstruite en style gothique au milieu du XIIIe siècle et le chœur roman érigé pendant les dernières décennies du XIIe siècle. Une première série, vestige d'un *Arbre de Jessé*, remonte aux années 1180-1200. L'apport byzantinisant y est, comme dans le groupe du Lyonnais, essentiel et s'explique par les rapports politiques entre le royaume de Sicile et la famille impériale. Parmi les panneaux les plus importants, signalons le panneau célébrant les deux saints Jean, le Baptiste et l'Évangéliste, associés depuis l'époque paléochrétienne. Tout dans leur attitude, leur traitement, évoque les mosaïques siciliennes de quelques décennies antérieures. La série la plus importante, celle des empereurs du Saint Empire, est remontée dans les fenêtres du collatéral nord de la nef gothique, à laquelle il faut ajouter la figure dite de Charlemagne — en réalité l'image du pouvoir impérial — conservée au musée de l'Œuvre Notre-Dame. L'imagerie impériale occupe une place exceptionnelle à la cathédrale de Strasbourg comme le rappellent, outre la série des empereurs qu'accompagnent des apôtres et des saints martyrs, trois médaillons d'un *Jugement de Salomon* (1180-1200), exemple biblique d'un prince juste. Les quelques panneaux conservés dans les régions avoisinantes obéissent à des principes stylistiques analogues, qu'il s'agisse de la *Vierge à l'Enfant* de l'église de Wissembourg, au nord de Strasbourg, ou des médaillons de l'*Histoire de Samson* de l'ancienne abbatiale d'Alpirsbach (Bade-Wurtemberg), aujourd'hui au musée de Stuttgart. Ces panneaux ont été exécutés avant 1200.

Plusieurs vestiges isolés, comme la *Vierge à l'Enfant* de Saint-Jacques-de-Flums (canton de Zurich), aujourd'hui exposée au musée de Zurich, soulignent la vitalité de l'art du vitrail dans les régions de l'arc alpin.

Les formules romanes se prolongent dans l'Empire et empêchent l'art gothique d'y introduire ses innovations spatiales et picturales. Au lieu de se scléroser, cet art roman qui ne se limite pas au domaine du vitrail sait se renouveler, comme aux verrières du chevet de Saint-Cunibert de Cologne (1215-1225) ou aux deux roses* éclairant le bras sud du transept de la cathédrale de Strasbourg (1220-1230).

• *Angleterre*

Du vitrail roman anglais, il reste fort peu de témoins avant le grand chantier de la cathédrale de Cantorbéry: quelques panneaux à la cathédrale d'York dont le plus connu est un roi provenant d'un *Arbre de Jessé* (vers 1150). Au contraire, la cathédrale de Cantorbéry est, comme celle de Chartres, un haut lieu du vitrail. Reconstruit à la suite d'un incendie, quatre ans après la mort de Thomas Becket en 1170, l'édifice est conçu comme un lieu de pèlerinage pour honorer le célèbre évêque sur le tombeau duquel s'accomplirent de nombreux miracles. Dès 1180, le chapitre prend possession du chœur, mais les travaux se poursuivent (malgré un arrêt de quelques années) jusqu'à la translation solennelle des reliques du prélat en 1220. La plupart des verrières, aujourd'hui oblitérées par de nombreuses restaurations, sont donc mises en place entre 1180 et 1220 selon un programme ambitieux confié à plusieurs ateliers.

Une première série occupe les douze baies basses du chœur et est consacrée à la *Vie du Christ*, y intégrant des épisodes de l'Ancien Testament qui en préfigurent les moments essentiels. Il n'en reste que des vestiges dans les baies nord du chœur. La série suivante, qui a subi de grosses pertes, illustre la *Généalogie du Christ*.

Parmi cet ensemble, la figure d'Adam bêchant montre déjà l'introduction de formules gothiques (vers 1190). D'autres verrières transcrivent les nombreux miracles accomplis sur le tombeau du saint grâce à son intervention. La cathédrale anglaise est, malgré des pertes importantes, l'édifice européen qui permet le mieux de comprendre le rôle essentiel que tient le vitrail à la fin du siècle.

VI

XIIIe siècle

Pendant une grande partie du XIIIe siècle, le vitrail est la technique artistique dominante. Les cathédrales, dont beaucoup sont en reconstruction, témoignent de l'essor urbain de l'Europe occidentale et symbolisent aussi la Jérusalem céleste, la ville idéale selon l'Apocalypse. Cette conception, dont maints écrits portent témoignage, explique en partie que le vitrail évolue jusqu'à devenir une cloison lumineuse à tous les étages du monument. Les architectes réduisent les surfaces murales pour les remplacer par de multiples baies, ou des roses qui animent les murs terminaux du transept et le revers de la façade occidentale. La cathédrale de Chartres, reconstruite immédiatement après l'incendie de 1194, est l'exemple même de cette évolution : les baies de la haute nef se composent de deux lancettes surmontées d'une rosace, préludant à des formules plus sophistiquées et plus aériennes. La transformation profite au vitrail qui occupe les espaces libérés par les murs. Elle favorise aussi la mise en place de vastes programmes qui répondent aux exigences de la pensée chrétienne contemporaine. Si les principes formels du vitrail changent peu, sa coloration, au contraire, s'assombrit de plus en plus. L'exemple le plus abouti de cette formule est la Sainte-Chapelle du Palais à Paris construite et vitrée entre 1243 et 1248.

Dès cette période, à cause de la taille de plus en plus grande des baies aux remplages (cf. chap. II) de plus en plus découpés, les maîtres verriers recherchent d'autres solutions, offrant un nouvel éclairement à l'intérieur de l'édifice. La verrière de pleine couleur sera progressivement remplacée par une nouvelle verrière associant panneaux de couleur — porteurs de l'iconographie — à d'autres clairs, décorés de motifs végétaux qui occupent de plus en plus de place, reléguant scènes et figures à la taille de vignettes.

Conditions du vitrail au XIIIe siècle

Élément essentiel de l'édifice religieux, le vitrail, qui se monumentalise, devient une peinture. Son style varie selon les ateliers et les régions. Le nombre des baies à vitrer est parfois si élevé sur un chantier que souvent plusieurs ateliers, venus quelquefois de loin, sont appelés pour y travailler. A la charnière du XIIe et du XIIIe siècle, des ateliers laonnais et soissonnais émigrent vers d'autres villes comme Bourges, Chartres et Rouen. A Strasbourg, les peintres verriers qui viennent de terminer les verrières du *triforium* et de l'étage supérieur de la nef de la cathédrale se déplacent vers l'est après 1265 : on

20. Poitiers, cathédrale,
vie d'Abraham, détail:
Abraham conduisant son fils Isaac au supplice,
vers 1200-1205,
h. 0,80 m, l. 0,43 m.

retrouve leur style à la cathédrale de Brandebourg, en Prusse-Orientale.

Comme au XIIe siècle, les peintres verriers restent anonymes. Une seule signature a été jusqu'à présent recensée, celle d'un certain Clément, verrier de Chartres, qui inscrit son nom sur un vitrail, toujours en place, du déambulatoire de la cathédrale de Rouen vers 1235 (*Clemens vitrearius carnotensis*). Quelques noms sont donnés par des documents d'archives comme celui d'Étienne, verrier à Bourges, auquel fut octroyée une maison canoniale vers 1220. Restituer l'activité d'un atelier est une entreprise difficile. On sait seulement que les verriers disposent d'un atelier ou d'une loge situés à proximité du lieu où ils travaillent, groupés en équipe autour d'un chef d'atelier, d'un maître. Une fois le chantier terminé, une charge de verrier est généralement créée pour l'entretien des vitraux comme à Saint-Denis au milieu du siècle. Les matériaux restent à la charge des chapitres ou des abbayes qui les emploient.

Les modalités des commandes sont mieux connues grâce à l'analyse même des œuvres. Les donateurs, en effet, se font souvent représenter dans le vitrail qu'ils offrent, n'oubliant pas de faire inscrire leurs noms et leurs qualités. Selon leurs origines sociales, ils choisissent d'être peints en pleine activité, comme les artisans des différents corps de métiers, ou en prière, comme les nobles et les religieux, qui tiennent parfois dans les mains le modèle de la verrière qu'ils s'apprêtent à offrir. Leur don commémore souvent un événement particulier, tels les vignerons du Mans qui, arrivés en retard à la cérémonie de consécration du nouveau chœur gothique, le 20 avril 1254, sont contraints de donner une verrière qui orne toujours l'une des baies du déambulatoire intérieur de la cathédrale. Comme les institutions religieuses n'ont presque jamais les possibilités financières pour faire face aux dépenses de construction d'un édifice, a fortiori d'une cathédrale, elles se tournent vers ceux qui peuvent les aider, qu'ils soient volontaires ou réticents. Les donateurs sont-ils libres de leur choix? Les religieux et les nobles le sont probablement, les artisans, commerçants et agriculteurs probablement moins. Les sujets paraissent leur être imposés par le commanditaire ou l'auteur du programme. Il faut en voir une preuve dans la verrière de la *Nouvelle Alliance* qui orne une baie du déambulatoire de la cathédrale de Bourges et qui fut offerte par les bouchers au début du XIIIe siècle. Le sens de cette admirable leçon théologique se rapportant au dogme de la Rédemption et à l'alliance entre les deux Testaments échappait sans doute à ces marchands mais certainement pas à l'auteur du programme, sans doute l'archevêque saint Guillaume de Bourges (1199-1209).

Graphisme et iconographie

L'agrandissement des baies dès la seconde moitié du XIIe siècle modifie l'ordonnance et la coloration des verrières et finit par créer une typologie en fonction de l'emplacement des œuvres dans l'édifice. Ainsi, à l'étage inférieur, les baies s'ornent de vitraux dits « légendaires » (cf. chap. III). Destinés à une vision rapprochée, ces vitraux se composent de nombreux compartiments historiés d'une grande invention formelle, regroupés en des ensembles — deux à trois par fenêtre — formant, par exemple, comme souvent à la cathédrale de Chartres, des compositions en étoile. Les verrières du déambulatoire et des chapelles rayonnantes de la cathédrale de Bourges obéissent à un principe analogue : l'épisode le plus important se trouve inscrit dans le compartiment central et les latéraux sont considérés comme des gloses qui servent à approfondir et à préciser la leçon de la scène axiale.

Entre ces compartiments, souvent cernés par des barres de fer forgées à leur forme, des jeux de fond à petite échelle se développent et contribuent à unifier l'ensemble du vitrail. Ces mosaïques*, bicolores ou tricolores, accueillent un décor végétal qui devient, de décennie en décennie, de plus en plus sommaire. Les bordures elles aussi rétrécissent. Si leur typologie reste proche de celle de l'époque romane pendant le premier tiers du siècle, leurs motifs se simplifient. A partir de la Sainte-Chapelle, le décor héraldique — fleurs de lys et châteaux de Castille — s'impose presque partout, même pour orner les fermaillets (cf. chap. III) qui réunissent les compartiments historiés entre eux.

L'essentiel de la superficie d'une verrière est réservé à l'illustration du récit, qu'il soit évangélique ou hagiographique, ce qui n'était pas le cas à l'époque romane. Un même épisode donne lieu à plusieurs scènes. Le principe, appliqué progres-

21. Bourges, cathédrale,
déambulatoire,
Parabole de l'Enfant prodigue, détail,
Le Prodigue quittant la maison paternelle
1210-1214,
h. 0,40 m env., l. 0,45 m.

sivement, atteint son apogée avant le milieu du siècle à la Sainte-Chapelle du Palais : la baie divisée en deux ou quatre étroites et longues lancettes accueille une série de scènes superposées, obligeant les peintres à répéter les mêmes schémas : d'un épisode biblique, on donne une séquence de plusieurs scènes, l'ensemble manque alors de concision iconographique.

Outre les figures majeures du christianisme, les commanditaires cherchent à glorifier le ou les saints patrons de l'édifice depuis sa fondation : les sujets des vitraux sont souvent choisis en fonction de la dédicace de l'église, de la chapelle ou même seulement d'un autel situé à proximité de la verrière. Les chapelles axiales des cathédrales dédiées à la Vierge sont-elles ornées de vitraux à sujets mariaux racontant la vie de la Mère du Christ. La légende du diacre Théophile et ses miracles illustrent aussi son pouvoir d'intercession. Un programme peut rassembler l'ensemble des verrières d'un édifice. Celui de la Sainte-Chapelle, conçu comme un immense commentaire historique, glorifie la Passion du Christ, considérée alors par Saint Louis et ses conseillers comme l'événement essentiel de l'humanité. Habituellement il s'articule autour d'une série plus ou moins nombreuse de verrières, réduite à trois au chevet de la cathédrale de Laon, plus d'une vingtaine au déambulatoire de celle de Bourges. Pendant les premières décennies du siècle, ces séquences organisées en principe autour des thèmes majeurs de la doctrine chrétienne illustrent non seulement des vies de saints couramment vénérés ou jugées exemplaires comme celle de saint Eustache, un général romain converti au christianisme, mais aussi intègrent des paraboles qui en précisent le sens. Par exemple, au déambulatoire de la cathédrale de Bourges, la parabole de l'Enfant prodigue (Lc 15, 11-32) doit être interprétée comme une leçon sur le salut.

A l'étage supérieur, la formule, déjà ancienne, des grandes figures isolées sous des dais d'architecture s'impose en France et en Angleterre. Patriarches, prophètes, apôtres, martyrs et évêques légendaires se déploient en cortège autour du Christ et de la Vierge. Ce parti formel se complique progressivement : les figures se superposent par deux ou trois comme au haut chœur de la cathédrale du Mans (1255-1270), et les registres inférieurs sont souvent occupés par les donateurs. Les dais s'agrandissent et se chargent de motifs décoratifs comme en Alsace et dans les régions voisines, préludant aux compositions aériennes de la première moitié du XIVe siècle. L'étage intermédiaire ou *triforium* reçoit à partir du deuxième tiers du siècle des vitraux historiés et décoratifs comme à la cathédrale de Troyes.

Les roses, dont l'évolution architectonique avait été lente pendant la seconde moitié du XIIe siècle, deviennent d'immenses compositions qui occupent des espaces privilégiés dans l'édifice. Les murs terminaux du transept ou le revers de la façade occidentale reçoivent des programmes divers : glorieux comme celui consacré à la Vierge au revers de la façade occidentale de Notre-Dame de Paris (vers 1220), cosmique comme au bras sud de celle de Lausanne (vers 1235), ou encore eschatologique comme au revers de celle de Chartres où un *Jugement*

22. Bourges, cathédrale,
étage supérieur,
Le Prophète Malachie,
vers 1220,
h. 4 m, l. 1,20 m.

dernier évoque la seconde venue du Christ (vers 1215).

La réduction de la surface murale au profit de l'agrandissement et de la multiplication des baies transforme le rôle du vitrail dans la diffusion de la lumière. Devenu cloison lumineuse, le vitrail ne peut plus conserver les tonalités claires qu'il avait à l'époque romane quand il était l'unique source lumineuse de l'édifice. Il s'assombrit, c'est-à-dire que sa gamme colorée devient dans un premier temps de plus en plus soutenue : les verrières de la Sainte-Chapelle marquent l'apogée de cette tendance. Au lieu du bleu clair, on utilise un bleu plus saturé qui, en France, du moins pendant la première moitié du siècle, est associé à un rouge assez foncé ; le blanc n'est plus utilisé que pour marquer les passages entre ces deux couleurs notamment. Si les couleurs sont représentées par plusieurs nuances, le nombre en est réduit. Le jaune et le vert restent peu employés en France et en Angleterre alors que dans l'Empire où les formules romanes perdurent, ils demeurent les teintes dominantes.

Dès le milieu du siècle, la verrière de pleine couleur ne répond plus aux exigences architecturales qui demandent alors une lumière tamisée. Elle est progressivement remplacée par une verrière mixte, c'est-à-dire associant des panneaux de couleur porteurs de l'iconographie à des panneaux de grisaille claire. Ces derniers disposés en bandeaux prennent de plus en plus d'importance et relèguent scènes et figures à la taille de vignettes. La nouveauté réside dans cette association, la verrière de grisaille ayant été d'un emploi courant pendant la première moitié du siècle, soit par mesure d'économie, soit par nécessité de terminer rapidement une vitrerie, soit par besoin d'éclairer les parties sombres d'un édifice. De nombreux exemples sont préservés en Europe non seulement dans des cathédrales et des abbatiales, mais aussi pour clore des cloîtres ou des salles capitulaires. La majorité de ces verrières est agrémentée de motifs floraux. Le répertoire ne devient naturaliste que dans les années 1260, copiant la feuille de lierre et d'ancolie en France et en Angleterre, celle du chêne ou du houx dans l'Empire, où leur évolution est différente : le décor floral, peint de face au lieu du profil habituellement choisi en France et en Angleterre, se rehausse de couleurs et s'anime de petits animaux.

Essor et rayonnement en Europe

L'architecture gothique, en pleine expansion, assure une place dominante au vitrail pendant tout le siècle, même dans des régions comme l'Espagne et l'Italie. Mais l'esthétique gothique n'est pas adoptée partout en même temps. Au contraire, il faut parfois attendre des décennies pour que cette nouvelle expression picturale parvienne à une maturité formelle et expressive (elle-même aussitôt soumise à de nouvelles modalités graphiques et chromatiques). Le passage de la tradition romane aux nouveautés gothiques est difficile, parfois même laborieux. Si la France capétienne — considérée comme le phare de l'Europe à cette époque — et l'Angleterre sont les lieux où s'est imposée cette nouvelle esthétique, les conventions romanes persistent dans des régions aussi différentes que l'ouest de la France et l'Empire.

A cause de la demande sans cesse réitérée de nouvelles verrières, une vive émulation se crée entre les ateliers et les centres de production. Le XIIIe siècle est ainsi une des périodes les plus inventives de l'histoire du vitrail. Sur un même chantier, comme ceux de Chartres et de Bourges, des maîtres qui ont un style différent, parfois opposé, se voient confier la réalisation de verrières qui doivent prendre place les unes à côté des autres. Combien d'expériences viennent ainsi s'intercaler entre un vitrail du début du XIIIe siècle, impressionniste par ses effets et d'une coloration soutenue, et une verrière de la fin du siècle, claire et diffusant une lumière tamisée?

Le style 1200 et son aire de diffusion

Au début du XIIIe siècle, l'architecture gothique ne s'impose pas partout en Europe. Le vitrail de l'ouest de la France reste acquis aux traditions picturales romanes, celui du Sud-Est et de l'Empire soumis aux influences byzantinisantes. En revanche, dans plusieurs centres du nord-ouest de l'Europe comme le sud-est de l'Angleterre et le nord de la France, la Champagne, le vitrail, à l'instar d'autres techniques artistiques, adopte une stylistique différente de celle de l'époque romane et inspirée par des modèles antiques et byzantins, suivant en cela l'art du grand orfèvre rhénan, Nicolas de Verdun. Il y a maintenant une trentaine d'années que des spécialistes ont mis en évidence ce style « autonome » qui ne dura que quelques décennies à la charnière des XIIe et XIIIe siècles. Le « style 1200 », qui n'est plus roman et pas encore gothique, se définit par l'harmonie des compositions, l'élégance du graphisme et la souplesse des draperies distribuées en plis « vallonnés » (*Muldenfaltensil*), selon l'expression consacrée. Grâce à ses modèles byzantins et antiques, cette nouvelle expression se libère de la stylistique romane : les visages deviennent plus humains, les expressions plus naturelles. L'ornementation s'affranchit aussi des conventions romanes au profit de motifs végétaux amples où le rinceau occupe une place privilégiée.

En Angleterre, ce sont les grandes figures de patriarches de Cantorbéry, vestiges d'une *Généalogie du Christ* (avant 1180), qui manifestent la qualité exceptionnelle de cette tendance ; en France, ce sont les vestiges de Troyes (vers 1170) provenant soit de la cathédrale romane, soit de la collégiale située à l'intérieur du palais des comtes de Champagne, aujourd'hui dispersés entre plusieurs collections françaises et étrangères, qui inaugurent cette éphémère phase stylistique. La région Laon-Soissons est privilégiée en raison du nombre de témoins conservés, qu'il s'agisse de l'ensemble du chevet plat de la cathédrale de Laon, composé de trois verrières et d'une rose à la gloire de la Vierge, des éléments de la cathédrale de Soissons dont les plus beaux panneaux sont aujourd'hui exposés aussi dans des musées américains, de deux verrières de la chapelle de la Vierge à la collégiale de Saint-Quentin. En Champagne, plusieurs édifices possèdent des vitraux qui témoignent de cette tendance comme les verrières, encore mal connues, de la chapelle du château de Baye, au sud d'Épernay, seul édifice de ce type aussi ancien à avoir conservé sa vitrerie d'origine. La permanence de ce courant à la cathédrale de Troyes, où plusieurs verrières posées dans le déambulatoire et les chapelles rayonnantes dans les années 1210-1220 suivent cette facture, souligne sa forte implantation en Champagne méridionale.

Ce style noble et antiquisant s'est étendu à d'autres chantiers et d'autres centres de production. Certains ateliers actifs en Ile-de-France se rattachent à cette tendance. La rose de la façade occidentale de Notre-Dame de Paris (vers 1220), dont seulement une dizaine de médaillons sont originels, témoigne d'une maîtrise analogue à celle observée à la rose nord de Laon. La verrière de saint Eustache, ornant une des baies du collatéral nord de la nef de Chartres, est proche du style des verrières de la chapelle de la Vierge à Saint-Quentin, au point qu'on a pu croire qu'un même atelier s'y serait déplacé. A la cathédrale de Rouen, les vestiges de deux verrières, celle des Sept Dormants d'Éphèse et celle de Saint Jean-Baptiste (vers 1205), remployés dans les *Belles Verrières*, vitraux anciens mais composites éclairant les chapelles du collatéral nord de la nef, montrent que le style noble et antiquisant ne s'est pas limité à la Champagne et au Laonnais-Soissonnais. Il en est de même à la cathédrale de Bourges où deux verrières du déambulatoire situées de part et d'autre de la chapelle axiale, la Nouvelle Alliance et le Jugement dernier (vers 1210), surpassent par leurs qualités propres les plus élégants exemples champenois et laonnais. Les raisons de la présence de ce maître à Bourges nous échappent. Venait-il d'un autre chantier? Force est d'admettre aujourd'hui que si l'origine du « style 1200 » est probablement septentrionale, les modalités de sa diffusion restent mystérieuses.

La formation du style gothique en France et en Angleterre pendant le premier quart du XIIIe siècle

Parallèlement à cette tendance, d'autres régions comme le Poitou, l'Anjou et le Maine refusent d'abandonner leurs traditions stylistiques. Ce n'est qu'après 1225 que, par exemple, les ateliers angevins accepteront les nouveautés gothiques. Jusque-là, ils resteront fidèles à des solutions issues des traditions picturales romanes. Paradoxalement, leurs travaux, pourtant opposés aux modalités gothiques, ont contribué à la formation du style gothique qui s'impose progressivement à la cathédrale de Chartres.

Comme nous l'avons déjà dit, la cathédrale de Chartres est reconstruite immédiatement après sa destruction en 1194, au moment où l'architecture gothique atteint sa maturité. C'est, en effet, le premier monument où le vitrail atteint un tel développement : cent soixante-quinze fenêtres et trois roses sont réalisées en l'espace de trente ans environ, un temps record qui explique que le chantier, attirant de nombreux peintres, joua un rôle essentiel dans la formation du vitrail gothique.

Les premières fenêtres qui reçoivent des vitraux sont celles de la nef. Posées avant 1200, elles sont encore romanes quant à leur facture (verrières de *Saint Lubin* et de *Noé*) ou soumises à la tradition byzantinisante (verrière des *Funérailles de la Vierge*). Certaines verrières de cette série comme de celle de *Marie-Madeleine* montrent déjà un équilibre dans la forme et la couleur absent des œuvres précédentes. Le chef-d'œuvre de ce style est la verrière de Charlemagne (vers 1220), admirable par son ordonnance colorée et par sa lisilibité chromatique.

La deuxième orientation stylistique commence avec les panneaux illustrant des épisodes de la vie publique du Christ qui complètent Notre-Dame de la Belle-Verrière. Ces vitraux, datables des années 1215, renferment une tension formelle jusqu'alors inconnue et annoncent une phase stylistique proprement gothique qui dominera pendant le deuxième quart du XIIIe siècle.

La cathédrale de Bourges offre aussi des séries de vitraux qui participent à la formation du style gothique. Outre les deux verrières du déambulatoire confiées à un maître du « style 1200 », le reste des baies basses du déambulatoire et des chapelles rayonnantes est donné à deux autres artistes qui travaillent en même temps (vers 1210). Le second maître, dit du Bon Samaritain, venu probablement du Poitou, reste attaché aux formules romanes qu'il transcende par un tracé d'une véhémence rarement égalée. Le dernier artiste appelé Maître des reliques de saint Étienne, du nom de son chef-d'œuvre, demeure fidèle aux conventions romanes tout en faisant preuve d'une exceptionnelle invention formelle dans l'ordonnance des œuvres qu'il réalise. Il devait, néanmoins, exécuter la plupart des vitraux du déambulatoire intérieur et des fenêtres hautes en s'adaptant à la conception gothique de l'espace.

Parmi les autres édifices qui reçurent des verrières pendant les premières décennies du siècle, la cathédrale de Sens conserve quatre verrières éclairant le déambulatoire du côté nord et datables des années 1210-1220. Deux de ces vitraux illustrant les paraboles de l'Enfant prodigue et du Bon Samaritain surprennent par une facture déjà gothique, l'autre série comprenant un vitrail consacré à saint Eustache et un autre à Thomas Becket reste attachées aux traditions du « style 1200 ».

Le dernier ensemble français de cette période est celui des sept verrières de l'étage inférieur du chevet, à la cathédrale de Lyon. Exécutés entre 1215 et 1225, ces vitraux obéissent pour quatre d'entre eux à des conventions byzantinisantes fortement implantées dans cette région depuis plusieurs siècles et toujours renouvelées. Les trois autres, au contraire, adoptent avec plus ou moins d'aisance des schémas importés du nord de la France ou même de Bourgogne.

Quand débute le XIIIe siècle, le chantier de Cantorbéry est en pleine activité, mais va devoir s'arrêter entre 1207 et 1213, lors de l'exil de l'archevêque et du chapitre en France que plusieurs peintres verriers suivent, travaillant probablement à Sens, peut-être à Chartres. A leur retour, certains continuent à œuvrer selon leurs propres traditions issues du «style 1200», notamment aux verrières de la Trinity Chapel qui réprésentent les miracles accomplis sur le tombeau du saint évêque; les autres, au contraire, les abandonnent pour des formules plus proprement gothiques, proches de celles des ateliers chartrains des années 1220. Une évolution analogue s'observe dans les panneaux mal conservés de la cathédrale de Lincoln qui soulignent, en dépit de leur mauvais état actuel, l'extraordinaire maîtrise picturale des ateliers anglais.

Autour des années 1225, le style gothique commence à s'imposer aux ateliers français et anglais, malgré l'opposition de certains centres qui acceptent mal cette nouvelle expression picturale et spatiale.

Triomphe du vitrail de style rayonnant pendant le deuxième quart du XIIIe siècle

Durant le deuxième quart du siècle, le vitrail évolue presque partout vers un graphisme plus dur, une exécution plus sommaire, suivant en cela un renouvellement des formes qui affecte l'ensemble des arts. C'est alors seulement que la stylistique gothique parvient à maturité tant

23. Paris, Sainte-Chapelle, étage supérieur,
côté nord, 4e baie en partant de l'axe,
Le Deutéronome, détails,
en bas
Moïse fait construire les villes du refuge
(Dt 4, 41-42)
et en haut
Moïse fait placer le livre dans l'arche
(Dt 31, 26),
1244-1248,
h. 1,43 m, l. 0,83 m.

dans la figuration que dans la maîtrise de l'espace. Comme précédemment, ces transformations ne se sont pas imposées à la même cadence et n'ont pas pris les mêmes voies.

Ce nouveau style s'affirme dès 1220-1225 dans plusieurs verrières d'Ile-de-France. Paris, où aucune œuvre antérieure aux années 1240 n'a été préservée, a été probablement l'un des centres où ces nouveautés ont été appliquées le plus rapidement. Qu'il s'agisse de la rose de l'église de Donnemarie-en-Montois, non loin de Provins, ou de l'ensemble du chevet plat de Saint-Germain-lès-Corbeil, au sud-est de Paris, ou encore des panneaux de l'abbaye détruite de Gercy, déposés au musée de Cluny à Paris, ces œuvres, datant des années 1220-1225, prouvent, à un degré différent, que la vieille tradition du *Muldenfaltensil* s'efface au profit d'un graphisme plus nerveux et plus heurté.

A la cathédrale de Chartres, cette nouvelle tendance qui raidit les formes, les schématise, accentue les volumes par un jeu de plis cassés atteint, avant 1230, l'une de ses expressions les plus achevées grâce à la personnalité du Maître de saint Chéron et de son atelier. La verrière de *Saint Chéron*, ornant l'une des baies de la première chapelle rayonnante nord, offerte par les sculpteurs et les tailleurs de pierre, inaugure cette phase stylistique à Chartres. Parmi les chefs-d'œuvre qui définissent ce style proprement gothique par leur force expressive, citons la célèbre verrière de Saint Denis remettant l'oriflamme de l'abbaye de Saint-Denis au maréchal Jean-Clément de Mez, exécutée entre 1228 et

1231, et l'ensemble qui ferme le bras sud du transept donné par la famille Dreux-Bretagne.

Les premiers grands chantiers parisiens, dont il reste encore des panneaux de leur vitrerie originelle, sont le réfectoire et la chapelle de la Vierge à Saint-Germain-des-Prés, édifices aujourd'hui démolis. Le premier fut entrepris dès 1234-1235, le second est contemporain de celui de la Sainte-Chapelle. Les quelques panneaux, pour l'essentiel déposés dans des musées américains, à l'exception de quatre remontés dans une baie d'une chapelle rayonnante de l'ancienne abbatiale, ont été exécutés par différents ateliers acquis à cette nouvelle stylistique dont l'expression la plus achevée est la vitrerie de l'étage supérieur de la Sainte-Chapelle.

Construite pour recevoir les reliques de la Passion du Christ, achetées quelques années avant à l'empereur Baudouin de Constantinople par Saint Louis, la Sainte-Chapelle est conçue comme un reliquaire à deux étages. Les quinze verrières de la chapelle supérieure, même restaurées de nombreuses fois au cours des siècles et notamment au XIXe siècle, saisissent par leur unité conceptuelle et leur coloration soutenue. Un seul maître d'œuvre, aidé sans doute par des théologiens proches de Louis IX, crée cet ensemble réalisé entre 1240 et 1246. La rapidité avec laquelle le commanditaire royal souhaite terminer l'entreprise entraîne des répétitions et même des accidents de cuisson. Mais la vitrerie de la Sainte-Chapelle est l'ensemble qui exprime le mieux les qualités du style rayonnant : l'élégance des figures, la fragilité des silhouettes légèrement déhanchées, la précision des gestes s'affirment avec un brio exceptionnel. Trois artistes réalisent ce prodigieux programme qui dépasse toutes les expériences antérieures et contemporaines par ses audaces pour simplifier les coupes et pour accélérer le travail et la pose de la peinture.

Une évolution vers un durcissement des formes se produit sur presque tous les autres chantiers actifs en France à cette époque. Certains ateliers sont plus rapides que d'autres à adopter cette nouvelle expression. En Normandie, par exemple, les peintres verriers, actifs à la cathédrale de Coutances, restent jusqu'au milieu du siècle peu enclins à suivre ces nouvelles conventions; à celle de Rouen, les verrières du déambulatoire conservent une facture archaïsante, alors que d'autres trouvent une écriture plus incisive et plus rapide. Une situation analogue s'observe en Bourgogne et en Champagne, bien que le style « dur » se modifie suivant les chantiers. En Picardie, notamment à Amiens et à Beauvais, il aboutit plus rapidement qu'ailleurs à un dessèchement des formes. Au milieu du siècle, l'Ouest, qui se montre jusqu'alors rétif au changement et perpétue les formules chartraines des années 1215-1220, est contaminé à son tour, comme en témoignent la plupart des verrières du déambulatoire de la cathédrale du Mans, datables des années 1255.

Spécificité des ateliers germaniques : le style roman tardif et le Zackenstil

Pendant les premières décennies du XIIIe siècle, les ateliers germaniques restent pour la majorité soumis à la tradition romane, notamment sur les chantiers de Strasbourg et de Cologne. Les ateliers s'opposent aux simplifications qui se développent dans le vitrail français et anglais, et inventent des solutions où dominent les surcharges formelles et décoratives. Figures et scènes sont placées dans des encadrements polylobés, composés de nombreux filets * peints comme aux verrières du chevet de Saint-Cunibert de Cologne (1215-1230). La formule qui donne lieu à de nombreuses variantes, souvent d'une grande invention formelle, perdure dans l'Empire jusqu'au début du XIVe siècle, notamment dans les foyers situés dans l'actuelle Autriche. L'exécution reste précieuse, l'ornementation surabondante, la coloration claire et franche où le jaune et le vert l'emportent, comme au XIIe siècle.

A partir des années 1235-1240, une nouvelle stylistique, le Zackenstil s'impose progressivement aux ateliers germaniques. Le Zackenstil qui touche tous les domaines de l'art figuré (enluminure, peinture murale, sculpture) puise son origine dans la tradition picturale romane de la Saxe et de la Thuringe, qu'il renouvelle en acceptant d'autres expressions formelles, les unes issues de l'art byzantinisant, les autres de l'art gothique français. Le style de la figuration se définit par un graphisme énergique qui éclate en lignes brisées, tout en conservant aux visages, ce qui est para-

24. Cologne, cathédrale,
chapelle Saint-Étienne,
Verrière typologique (*Bibelfenster*),
lancette de droite, détail,
Nativité,
vers 1280,
h. 1,10 m, l. 0.93 m.

doxal, une douceur presque mélodieuse. Il reste, néanmoins, attaché aux conventions du décor roman, multipliant les encadrements polylobés et les filets d'encadrement peints. Son influence est considérable dans tout l'Empire et engendre des variantes différentes selon les traditions propres aux ateliers, qu'il s'agisse des rosaces historiées ornant les tympans des baies de la nef à la cathédrale de Strasbourg (vers 1240) ou des verrières de l'église des franciscains à Erfurt (vers 1235-1240). Plus on avance vers le milieu du siècle, plus les ateliers se laissent contaminer par les formes du gothique français comme à la verrière typologique de l'église de Mönchengladbach (vers 1250) ou à celles du chevet de l'église supérieure d'Assise en Italie exécutées à la même époque par un atelier germanique. Strasbourg devient alors le relais essentiel de l'art parisien (issu des formules de la Sainte-Chapelle) pour les ateliers germaniques qui télescopent ainsi la tradition du vitrail français du premier quart du XIIIe siècle.

Diversité des styles en Europe pendant la seconde moitié du XIIIe siècle

Dès le milieu du siècle, la situation du vitrail se modifie profondément en France. Il s'éclaircit, puis « blanchit ». La verrière de pleine couleur perd sa primauté au profit de formules nouvelles comme la verrière mixte, que nous avons déjà définie. Cette présentation dite « en litre * » s'impose avec différentes variantes pendant les dernières décennies du XIIIe siècle. Plusieurs édifices parisiens contemporains de la Sainte-Chapelle ont déjà adopté cette formule, mais rien n'a été sauvegardé. Le plus ancien monument français où cette solution formelle apparaît avant 1260 est la cathédrale de Tours. Les verrières du haut chœur sont de pleine couleur à l'exception de deux, où les figures sont encadrées par des panneaux de grisaille. Essai timide mais qui inaugure un parti « promis à un brillant avenir » (L. Grodecki).

Comme toujours, cette mutation n'emprunte pas une trajectoire linéaire. Des ateliers ont persisté à utiliser la pleine couleur comme les équipes à l'œuvre dans les chapelles rayonnantes de la cathédrale de Clermont-Ferrand vitrées vers 1260. Leurs successeurs, dix ans plus tard, adoptent la verrière mixte pour les baies du haut chœur.

Le traitement de l'iconographie et le style de la figuration se transforment, d'autant que, dès la fin du règne de Saint Louis, le vitrail abandonne sa primauté artistique au profit de l'enluminure. Les conséquences sont immédiates : la figuration adopte un style au graphisme précieux ou expressif et renonce à la monumentalité de la période précédente. Les scènes se miniaturisent, les personnages évoluent librement — silhouettes graciles et déhanchées — dans des compositions aérées. Le graphisme se réduit à quelques traits et insiste plus sur les attitudes et les gestes que sur les expressions des visages. C'est surtout en Ile-de-France, en Normandie, notamment à la cathédrale d'Évreux et à l'ancienne abbatiale de Fécamp, et en Picardie que cette plastique

25. Tours, cathédrale,
2e chapelle rayonnante sud,
lancette de gauche,
Vie de saint Martin, détail,
Le saint devant l'empereur Valentinien,
1270-1280,
h. 1,20 m env., l. 0,90 m.

maniériste se développe avec élégance. Dans l'Ouest, au contraire, des ateliers actifs dans plusieurs abbatiales reconstruites ou transformées à la fin du XIIIe siècle comme la Trinité de Vendôme ou Notre-Dame-de-l'Épine à Évron (Mayenne) n'arrivent pas à se libérer de leurs propres traditions et s'acheminent vers une facture lourde et « expressionniste ».

Le chef-d'œuvre de cette tendance est la vitrerie de Saint-Urbain de Troyes, édifice construit par le pape Urbain IV à l'emplacement de sa maison natale à partir de 1262. A l'étage inférieur, les verrières en grisaille claire sont animées chacune par un quadrilobe historié ; à l'étage supérieur, les figures de prophètes, entourant un Calvaire, sont placées sous des dais architecturaux au milieu de champs de grisaille parcourus de filets colorés et enrichis de délicats feuillages. Œuvres « modernes » par leur présentation des personnages, tantôt de profil et tantôt de face, presque révolutionnaires par leur coloration claire, ces verrières, datables des années 1270, annoncent une nouvelle étape dans l'évolution de la peinture sur verre non seulement en France mais en Europe.

Les ateliers anglais suivent une évolution analogue. A partir de 1260, la verrière mixte s'impose en Angleterre. Le style dit de cour (*Court Style*) domine ; il adopte la facture raffinée des enluminures contemporaines. En utilisant les formes délicates des remplages des baies, copiant les drôleries qui peuplent les marges des manuscrits, les peintres placent leurs personnages sous des dais à étages et les entourent de panneaux de grisaille décorative devenue presque blanche comme aux verrières du chœur de la chapelle de Merton College à Oxford (après 1290).

Cette évolution n'est pas suivie dans l'Empire où le vitrail se conforme aux options prises par l'architecture des ordres mendiants et invente des formules originales, marquées par l'agrandissement des dais architecturaux au-dessus des scènes et des figures qui se transforment en de féeriques tabernacles. Ces architectures de verre métamorphosent l'ordonnance des vitraux et donnent des formes autonomes régies par une typologie dont l'aboutissement sera l'ensemble de la chapelle Sainte-Catherine à la cathédrale de Strasbourg (vers 1340). Le style de la figuration évolue aussi vers un graphisme raffiné, la coloration s'éclaircit à peine, d'autant que les grisailles s'animent de motifs colorés. Les ateliers strasbourgeois ont joué un rôle considérable en important ce type de verrière et cette plastique sur d'autres chantiers non seulement d'Alsace mais de régions aussi éloignées que la Souabe et la Prusse.

« Mosaïque de couleur » au début du XIIIe siècle, le vitrail est devenu un siècle plus tard une peinture et a perdu ses effets « impressionnistes » au profit d'une luminosité égale. La primauté française s'affaiblit vers 1300 : les forces inventives se déplacent vers des chantiers provinciaux, en Normandie, en Angleterre et dans l'Empire.

VII

XIVe siècle

Les transformations formelles et chromatiques qui affectent l'art du vitrail pendant la seconde moitié du XIIIe siècle s'imposent et se généralisent au siècle suivant en Europe. L'architecture religieuse évolue : la taille des édifices se réduit, mais le nombre de chapelles s'y multiplie. En élévation, le système des trois étages est moins souvent utilisé, remplacé par des baies uniques et très hautes dans les églises des ordres mendiants. Ces édifices demandent une lumière abondante et naturelle qui permette d'en éclairer toutes les parties et le décor sculpté qui devient de plus en plus raffiné : la verrière jusqu'alors translucide devient transparente. Des découvertes techniques facilitent, en outre, cette mutation, la plus importante de l'histoire du vitrail.

Innovations techniques

Dès les dernières années du XIIIe siècle, la qualité des verres se modifie : la fabrication de la pâte de verre devient moins empirique grâce à un meilleur apurement des sables. Les méthodes de soufflage se perfectionnent, rendant possible un agrandissement et un amincissement des plaques de verre : les coupes des pièces peuvent devenir plus grandes et plus ouvragées. Le verre « blanc », jusqu'alors glauque et translucide, devient clair et transparent. Les verres de couleur sont moins chargés en colorants et adoptent des tonalités subtiles. La fabrication des verres* plaqués, c'est-à-dire blancs mais recouverts de minces pellicules d'une autre couleur commence à être courante. Ce nouveau type de verre facilite de minutieux travaux de gravure comme ceux que nécessite la confection d'armoiries, nombreuses dans les vitraux de cette époque. La pellicule de couleur est abrasée à l'aide de pierre ponce et de poudre d'émeri : la couleur blanche peut alors être peinte ou laissée nue (cf. chap. IV).

L'utilisation d'une nouvelle teinture, le jaune d'argent, aboutit à la réduction du nombre des pièces nécessaires à la réalisation d'un vitrail (cf. chap. IV). Son application au vitrail métamorphose en effet le devenir de cette technique. Elle le libère de la contrainte de la résille de plombs pour en faire une peinture sur verre. Ce sel d'argent mêlé d'ocre permet de colorier partiellement un verre blanc en jaune ou de modifier la tonalité d'un verre coloré qui peut acquérir deux teintes sans l'adjonction d'un plomb. Posé généralement sur la face externe des verres, le jaune d'argent s'infuse à la cuisson et, sur la face interne, le peintre peint comme d'habitude.

Les effets du vitrail se trouvent renouvelés et

enrichis par cette peinture employée depuis le Xe siècle par certains pays arabes (Égypte, Syrie, sud de l'Espagne) pour le décor des vases. La recette aurait été diffusée seulement en France et en Angleterre à la fin du XIIIe siècle grâce à un ouvrage de compilation consacré à des traditions arabes et écrit à l'initiative du roi de Castille, Alphonse X le Sage (1252-1284). Un exemplaire aurait ensuite été apporté à la cour de France par un ambassadeur. C'est par ce biais que la recette de la nouvelle préparation aurait été connue de quelques ateliers de peintres verriers qui, comprenant son intérêt, l'auraient immédiatement utilisée. Adopter ce procédé répond à un besoin réel puisque le vitrail cherche à s'éclaircir depuis quelques décennies. En France, le premier exemple daté de son utilisation remonte à 1313 et s'observe, grâce à une inscription, sur une verrière d'une église rurale de Normandie, au Mesnil-Villeman (Manche), et en Angleterre, sur un vitrail de la cathédrale d'York daté de 1307. Cette concordance entre style et technique, encore difficile à expliquer, comble une attente : moins d'un quart de siècle plus tard, un grand nombre d'ateliers européens s'en servent avec plus ou moins de dextérité.

Développement du décor architectural

Dès la seconde moitié du XIIIe siècle le vitrail adopte une nouvelle présentation qui associe panneaux décoratifs de grisaille à des panneaux de pleine couleur porteurs de l'iconographie. Les conséquences formelles et iconographiques de cette nouvelle ordonnance sont importantes et transforment la composition des vitraux. Les espaces réservés à l'iconographie se réduisent à une scène ou une figure par lancette qui est placée dans un encadrement architectural. Ce parti n'est pas une innovation : depuis deux siècles déjà, le vitrail a coutume de présenter des figures sous des arcades ou des dais. La nouveauté consiste dans l'agrandissement que prennent les dais architecturaux dans la verrière. Ces éléments deviennent des édicules couvrant plusieurs registres*, isolant ainsi figures et scènes des panneaux décoratifs. Les peintres transforment ce décor, inspiré par les tracés de l'architecture contemporaine, en de féeriques échafaudages peuplés, par exemple, d'oiseaux et d'anges, créant ainsi un environnement paradisiaque autour des figures.

Préciosité de la figuration et du décor

Dans les dernières années du règne de Louis IX, le vitrail perd sa primauté au profit de l'enluminure et évolue, comme cet art, vers une facture raffinée et précieuse. La figuration suit ces principes : l'échelle des personnages se miniaturise, le graphisme acquiert une grande netteté plastique. Le vitrail essaie désormais de traduire les effets de la peinture non translucide, utilisant, pour ce faire, de nouveaux types de pinceaux : la

26. Strasbourg, musée de l'Œuvre Notre-Dame,
Calvaire et saints,
verrière provenant de l'église détruite
de Saint-Maurice de Mutzig (Bas-Rhin),
vers 1300,
h. 2,66 m, l. 1,72 m.

brosse qui permet d'égaliser les modelés, le putois qui, à l'inverse, les éclaircit (cf. chap. IV).

Le souci de raffinement s'étend au décor. Les bordures, souvent ornées d'armoiries, s'agrémentent, à l'instar de l'enluminure, de petits monstres et d'animaux comme des singes ou des oiseaux. Les figures se détachent sur des fonds sombres couverts de motifs imitant des tissus damassés orientaux alors en vogue. Ce principe crée comme un écran qui accentue encore le caractère irréel et précieux du vitrail. Quant aux vitreries décoratives, leur répertoire floral devient de plus en plus naturaliste, employant la feuille de chêne ou le rameau de vigne.

Comme dans la peinture non translucide, le vitrail accueille la perspective à l'italienne dès les années 1325-1330. L'un des plus anciens exemples est l'ensemble des verrières du chœur de l'abbatiale franciscaine de Königsfelden, mausolée des premiers empereurs Habsbourg (Argovie, Suisse). Cette innovation spatiale, qui s'impose lentement, modifie l'ordonnance des verrières : les niches architecturales deviennent des édicules percés de baies ou de rosaces elles-mêmes ornées de grisailles.

Principaux ateliers et peintres

• *France*

Au début du siècle, la série des archevêques

légendaires qui orne les baies de la chapelle de la Vierge à la cathédrale de Rouen montre déjà les transformations accomplies. Les seize figures d'archevêques s'abritent sous de hautes niches enrichies d'un décor naturaliste et se détachent sur des fonds damassés. Le graphisme et les modelés élégants des visages s'opposent à la lourdeur des draperies qui rendent compte de la qualité et de la richesse des costumes. La palette s'est beaucoup éclaircie grâce à l'emploi de verres pâles, peu chargés en colorants. Le décor innove également, utilisant des motifs réels copiés d'après la flore où se mêlent des perroquets, des hommes sauvages et des anges musiciens.

C'est effectivement en Normandie qu'il faut se rendre pour apprécier les qualités nouvelles du vitrail. La Normandie est la seule région où cette activité artistique peut être suivie de décennie en décennie en raison du nombre élevé de vitraux conservés de cette époque.

Plusieurs verrières de la cathédrale d'Évreux, notamment celle offerte par le chanoine Raoul de Ferrières avant 1330, montrent une extraordinaire autorité monumentale malgré la préciosité de leur graphisme et le raffinement de leur coloration. L'exemple le plus achevé de cette nouvelle présentation du vitrail est néanmoins l'ensemble des vitraux du chœur de l'abbatiale de Saint-Ouen de Rouen, construit et vitré entre 1318 et 1339. Les verrières de l'étage supérieur et celles des chapelles basses suivent le même parti : figures ou scènes sont abritées dans des niches d'architecture qu'encadrent des vitreries décoratives blanches animées de feuilles de fraisier et d'églantier. La luminosité de l'édifice se trouve

27. La Meilleraye (Seine-Maritime),
chapelle du château,
Un montreur d'ours et un guerrier,
deux broches provenant de verrières en grisaille détruites
de l'abbatiale de Jumièges,
vers 1350,
diam. 0,16 m.

augmentée grâce à l'emploi de verres clairs et minces. Dans le sillage de cette tendance, on dénombre beaucoup de vitraux préservés dans de petites églises qui attestent de l'essor du vitrail normand pendant la première moitié du XIVe siècle. La renommée de ces ateliers dépasse le cadre de la région et s'étend notamment à la Touraine, où plusieurs vitraux de l'église de Mézières-en-Brenne (Indre), datables des années 1340, montrent des liens stylistiques avec des œuvres normandes contemporaines.

Les autres régions sont beaucoup moins riches en vitraux du XIVe siècle. Si beaucoup d'églises gardent des éléments de cette époque, la plupart, souvent incomplets, témoignent néanmoins de l'extraordinaire habileté picturale dont font preuve la plupart des ateliers. Signalons, par exemple, à la cathédrale de Chartres, les panneaux offerts en 1328 par un chanoine répondant au nom de Thierry pour compléter une verrière du début du XIIIe siècle ornant une baie à l'entrée du bras sud du transept. Les figures sont peintes à la grisaille et rehaussées au jaune d'argent sur des verres blancs identiques à ceux de la vitrerie losangée du fond, ce qui produit un effet tout en camaïeu.

A Paris, la production de cette époque a disparu, à l'exception de figures d'apôtres provenant de la chapelle du collège de Beauvais et datables de la seconde moitié du siècle, aujourd'hui remontées à l'église Saint-Séverin.

Dans l'Ouest, la situation du vitrail connaît un essor remarquable depuis la fin du XIIIe siècle, qui se prolonge pendant le premier tiers du XIVe siècle. La reconstruction ou la modernisation des grandes abbayes bénédictines comme Saint-Pierre de Chartres ou Notre-Dame d'Évron (Mayenne) sont à l'origine de ce mouvement. Si quelques ateliers s'efforcent de suivre les nouvelles tendances du vitrail, la plupart se rattachent à un courant stylistique original dont les sources restent encore difficiles à cerner. Ce style, opposé aux formes raffinées du vitrail normand, se caractérise par un graphisme brutal et une coloration tonique.

L'essor de l'architecture gothique dans le sud de la France y favorise celui du vitrail. Quelques ateliers, comme celui des vitraux de l'église Saint-Pierre des Junies (Lot), perpétuent la tradition de la verrière légendaire de couleur et à médaillons superposés. Les autres adoptent le principe de la verrière mixte et influencent probablement les ateliers catalans actifs à Vich et à Gérone.

• *Angleterre*

La production devient d'une exceptionnelle qualité, comme en témoignent les nombreux vestiges conservés. Les ateliers sont installés près des chantiers de cathédrales comme celles d'Exeter, Wells et York ; ils exécutent aussi des vitraux pour des abbatiales ou des églises rurales. Oxford, ville universitaire en plein essor, abrite plusieurs équipes de peintres verriers qui rayonnent dans la région. A la fin du siècle, les peintres sortent de l'anonymat. A Oxford, par exemple, Thomas le Verrier réalise entre 1380 et 1386 les verrières de la chapelle de New College, puis en 1398 les figures du vitrail oriental de la chapelle

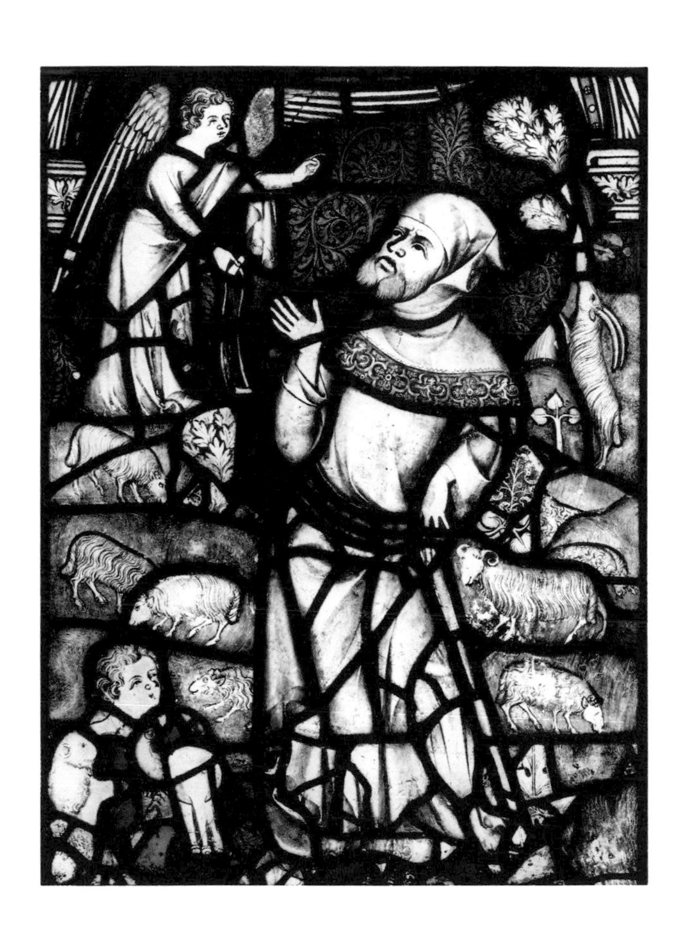

28. York, cathédrale,
nef, collatéral sud,
Annonce à Joachim,
vers 1340, h. 0,92 m, l. 0,61 m.

fondée par Guillaume de Wykeham au Winchester College.

Les ateliers anglais suivent des principes formels et chromatiques proches de ceux adoptés par les verriers normands. La verrière mixte est d'un emploi quasi général. Les verrières du chœur de la chapelle de Merton College à Oxford (1290-1311) inaugurent cette nouvelle présentation du vitrail qui, avec des variantes, est adoptée pendant tout le XIVe siècle. Les parties figurées ou historiées abandonnent leur caractère monumental au profit d'une préciosité graphique souvent élégante. Les peintres placent scènes et personnages sous des niches à plusieurs étages, sorte de tabernacles dont les rampants sont soutachés de cordons de feuilles, imitant ceux qui rythment les archivoltes des portails.

Plus le siècle avance, plus les détails ornementaux se surchargent de différents motifs. Le décor héraldique envahit, comme en France, les bordures, mais les ateliers anglais préfèrent le léopard, symbole de la royauté anglaise, à la fleur de lys française. Les panneaux décoratifs se couvrent d'un répertoire végétal naturaliste où la tige et la feuille de fraisier voisinent avec la branche d'algue comme à la cathédrale de Gloucester. Le style de la figuration obéit à des conventions maniéristes : les personnages déhanchés s'appuient aux montants des dais d'architecture qui les abritent. Comme en France, la perspective à l'italienne transforme l'ordonnance des vitraux comme pour ceux du chœur de l'abbatiale de Tewkesbury (Gloucestershire) à partir du milieu du siècle.

• *Empire*

L'essor de l'architecture gothique incite à la construction ou à la reconstruction de nombreux édifices. Ceux-ci sont généralement bâtis selon les principes architecturaux mis en œuvre par les ordres mendiants. Le type architectural courant est l'église-halle, à un seul étage, sans déambulatoire, où nef et chevet forment un espace unique. Les baies se développent sur toute l'élévation en de longues et étroites lancettes surmontées de petits tympans, ce qui oblige les ateliers germaniques à trouver des solutions originales pour l'ordonnance des vitraux. Le principe de la verrière à compartiments historiés superposés n'est pas abandonné, notamment dans le cas de verrières typologiques (*Bibelfenster*) où les vies du Christ et de la Vierge sont mises en parallèle avec des événements bibliques qui les préfigurent.

Strasbourg continue d'être une métropole artistique. Les ateliers de peintres verriers rayonnent sur les deux rives du Rhin. Au début du XIVe siècle, à l'église Saint-Thomas, un atelier innove en adoptant un nouveau principe formel pour la verrière du *Couronnement de la Vierge* (aujourd'hui incomplète). Les médaillons historiés s'étendent sur la largeur de la baie, tels des tableaux, inaugurant une formule promise à un brillant développement dans l'Empire jusqu'à la fin du Moyen Age. La présentation la plus souvent choisie reste, comme en Angleterre et en France, celle de la figure ou de la scène placée sous un dais architectural auquel les ateliers strasbourgeois et alémaniques donnent un développement privilégié. Ces compositions architecturales couvrent souvent plus de registres que les personnages placés au-dessous, comme celles qui somment les figures d'apôtres, vestiges d'un Credo, à la chapelle Sainte-Catherine de la cathédrale de Strasbourg (vers 1340). Le style de la figuration suit le graphisme incisif et maniéré des manuscrits de la région. De nombreux vitraux adoptent cette tendance, soulignant la vitalité et la communauté d'inspiration de ces ateliers. Par exemple, la vitrerie du chœur de l'abbatiale franciscaine de Königsfelden (vers 1325), au sud-ouest de Zurich, suit les principes formels et chromatiques des ateliers strasbourgeois, au point qu'on suppose que cet ensemble admirable est leur œuvre.

Dans le reste de l'Empire, les principes du gothique français et anglais pénètrent plus ou moins rapidement selon les régions. A Cologne et en Rhénanie, ils sont appliqués dès les années 1310-1320 par la plupart des ateliers ; dans le Nord, au contraire, c'est beaucoup plus tard, sauf dans quelques villes où sont appelés des peintres strasbourgeois. La *Vierge à l'Enfant* de la cathédrale de Brandebourg en Prusse constitue un excellent exemple de l'adoption de modèles occidentaux au début du XIVe siècle.

Une période florissante pour l'art du vitrail en Europe orientale (c'est-à-dire dans l'Autriche actuelle jusqu'en Bohême et même en Pologne) commence au XIVe siècle. Le maniérisme franco-anglais est adopté dès le début du siècle et s'y combine avec les principes formels propres aux ateliers de cette région comme ceux du Zackenstil (cf. chap. VI). Avant le milieu du siècle, certains ateliers intègrent déjà, en avance sur beaucoup de centres européens, les modalités de la perspective à l'italienne comme dans les verrières de l'église de Sainte-Marie-am-Gestade à Vienne.

Le style des Parler, dynastie d'architectes et de sculpteurs souabes, est essentiel pour saisir l'évolution du vitrail germanique après les années 1360. Il n'existe pourtant aucun vitrail directement associé à leurs travaux. L'originalité du style parlérien est de mêler un graphisme délicat et souple à une plastique puissante. Dans le domaine du vitrail, ce style évolue vers deux courants: l'un est maniéré, l'autre accentue les formes exacerbées et les effets dramatiques, annonçant l'évolution des ateliers germaniques au XVe siècle, comme en témoigne la verrière de la *Genèse* à la cathédrale d'Erfurt (vers 1370).

• *Italie*

Le vitrail, tout en y restant un art marginal, produit des œuvres intéressantes éloignées des traditions du gothique français. L'art de Giotto est capital pour comprendre l'originalité de la démarche des ateliers italiens. Ce sont des peintres de panneaux ou des fresquistes qui fournissent les cartons des vitraux. Simone Martini est peut-être l'auteur des figures des verrières de la chapelle Saint-Martin à la basilique Saint-François à Assise, qu'il décore de fresques vers 1350. De même à Florence, des peintres sont à l'origine des vitraux parmi lesquels la rose du *Couronnement de la Vierge* (1365), œuvre d'Andrea di Buonaiuto, constitue l'exemple le plus abouti.

VIII

XVe siècle

Le vitrail continue de s'éclaircir pendant les premières décennies. Les ateliers suivent les formes maniéristes et raffinées du « style gothique international » qui s'impose à tous les arts figurés en Europe. Au milieu du siècle, une réaction se produit : la peinture flamande des frères Van Eyck devient à la mode. Les peintres verriers, comme les autres artistes, en copient les formes énergiques et la palette contrastée.

Métier et mécénat

L'exercice du métier de peintre verrier se transforme à bien des égards. Les praticiens commencent à signer leurs œuvres, tel André Robin, auteur au milieu du siècle des deux roses qui ferment les bras du transept à la cathédrale d'Angers. L'activité de certains artistes comme celle de l'Alsacien Peter Hemmel peut être suivie d'année en année grâce à des contrats passés lors de commandes.

29. Saint-Omer (Pas-de-Calais), cathédrale, haut chœur, ***Saint Antoine***, vers 1450, h. 2 m env., l. 0,60 m env.

Les peintres verriers sont de préférence installés dans des villes où ils réalisent leurs travaux qui, terminés, sont transportés dans l'édifice auquel ils sont destinés. L'entretien des vitraux plus anciens conduit en effet à la sédentarisation des peintres, qui se mettent au service d'un chapitre pour réparer les vitraux de ou des édifices dont ces derniers sont propriétaires.

Perpétuant une tradition déjà active depuis deux siècles, des mécènes confient des travaux à des artistes qu'ils apprécient particulièrement. Le jeu des alliances familiales favorise la reconnaissance artistique de certains maîtres. Princes et prélats gardent à leur service les mêmes artistes qui les suivent au gré de leurs changements de résidence. Les différentes séries que le duc Jean de Berry fait exécuter à Bourges par des praticiens locaux sous la direction de maîtres venus d'Artois en portent témoignage. Les riches marchands comme l'« argentier » Jacques Cœur à Bourges trouvent dans la commande artistique un moyen de consolider leur pouvoir.

L'essor du mécénat transforme le code iconographique du vitrail religieux. Jusqu'alors les donateurs se font représenter en prière ou dans l'exercice de leur activité au bas d'une verrière ; ils choisissent maintenant d'en occuper l'ensemble et d'y être peints avec leur famille accompagnés de leur saint patron. En adoptant cette nouvelle formule iconographique, le donateur croit que son saint patron intercède en faveur de son salut et le protège pour sa vie éternelle future. Les ajours des tympans, occupés par des anges, forment une sorte d'apothéose céleste et introduisent le donateur et les membres de sa famille dans le monde paradisiaque de la Jérusalem céleste auquel ils souhaitent accéder après la mort.

Performances techniques

Devenu d'un usage courant, le papier facilite la circulation des modèles et les rend accessibles à de nombreux ateliers par le biais d'estampes. Son utilisation simplifie aussi la confection des cartons jusqu'alors conçus sur des tables enduites de craie et donc peu maniables (cf. chap. IV). Ils peuvent maintenant être aisément transportés.

Les ateliers se livrent à des prouesses techniques. Les peintres connaissent toutes les possibilités du jaune d'argent, pratiquent avec brio la gravure sur verre. Ils savent sertir les pièces en chef-d'œuvre*, c'est-à-dire les incruster à l'aide d'un plomb à l'intérieur d'une pièce plus grande pour enrichir le décor des vitraux, spécialement les broderies des vêtements. Pour accéder à la maîtrise, le peintre doit en effet savoir pratiquer ce procédé, d'où le nom donné à cette performance technique.

La pose de la peinture atteint une extraordinaire dextérité. En plus de la grisaille et du jaune d'argent, les praticiens utilisent une nouvelle teinte, la sanguine, improprement appelée « jean cousin », qui, de couleur brun-rouge, sert surtout à rendre les carnations des visages. Ils exploitent au mieux les moyens à leur disposition, n'hési-

30. L’Annonciation, détail,
***L’Ange Gabriel*.**

tant pas à en inventer de nouveaux pour copier les effets propres de la peinture non translucide.

Ordonnance et décor

Pendant les premières décennies, la présentation du vitrail change peu. Les figures sont toujours placées dans des niches architecturales blanches dont les montants latéraux deviennent de plus en plus larges, les réduisant parfois à des silhouettes. Ces édicules, sortes de tabernacles clairs rehaussés de touches de jaune d'argent, représentés selon les lois de la perspective, sont surchargés de gâbles et de pinacles entre lesquels se cachent des statuettes d'anges musiciens.

A partir du milieu du siècle, quelques ateliers adoptent les nouveautés spatiales et picturales flamandes. L'ordonnance des verrières se modifie à nouveau. Les compositions se développent sur l'ensemble de la baie, quel qu'en soit le nombre de lancettes, et forment un tableau qu'unifie une architecture représentée en perspective. La verrière de JACQUES CŒUR éclairant la première chapelle latérale nord du chœur à la cathédrale de Bourges constitue l'exemple le plus abouti de cette nouvelle présentation de la peinture sur verre (1449-1451).

La couleur revient alors en force. Les architectures blanches disparaissent progressivement, les fonds damassés aussi. En revanche, les ajours des tympans continuent d'accueillir des anges qui se détachent maintenant sur des fonds sombres.

Le traitement de l'iconographie évolue: des détails anecdotiques et familiers se multiplient grâce à l'influence de la peinture flamande. Les peintres verriers s'inspirent aussi des mises en scène des mystères en étageant leurs compositions. Le paysage remplace progressivement les fonds damassés omniprésents depuis le XIVe siècle.

Prépondérance flamande et germanique

La destruction de nombreux vitraux empêche de saisir la vitalité des ateliers actifs à cette époque. Dès le début du siècle la réputation des artistes «nordistes» (Artois, Picardie et Hainaut), puis flamands, s'impose en Europe. Les mécènes les appellent sur leurs chantiers. Cette situation modifie les orientations stylistiques des praticiens locaux qui adoptent les modèles septentrionaux, notamment en France et en Angleterre. Mais dans les Flandres il reste seulement quelques œuvres tardives comme la rose du *Couronnement de la Vierge par la sainte Trinité* (après 1460) à la collégiale Saint-Gommaire de Lierre, non loin d'Anvers.

- *France*

A Bourges, le vitrail connaît une période fastueuse dès le début du siècle. Le duc Jean de Berry, frère du roi Charles V, emploie plusieurs

31. Bourges, cathédrale,
nef, côté nord,
chapelle de Jacques Cœur,
L'Annonciation,
1448-1450,
h. 4,35 m., l. 3,20 m.

artistes venus du Nord. Dans le domaine du vitrail, les vestiges de la vitrerie de la Sainte-Chapelle (démolie en 1756), que le duc fait construire et vitrer au tout début du siècle, attestent des changements accomplis sur le plan de l'iconographie et de la facture. Le programme illustre un thème qui devient courant à cette époque, celui du Credo apostolique. Les figures d'apôtres et de prophètes, toujours présentées dans des niches blanches, sont délicatement dessinées et peintes sur des verres très clairs. Leurs attitudes sont presque naturelles et leurs visages empreints d'une mélancolie sereine, traits caractéristiques de l'art des peintres « nordistes », comme André Beauneveu, artiste attitré du duc. (Restés en caisse depuis 1939, ces admirables éléments viennent d'être installés par le maître verrier Jean Mauret dans des baies de la crypte à la cathédrale.) La même tendance se poursuit aux verrières des chapelles latérales du chœur et de la nef de cet édifice. Les personnages présentent des qualités de facture analogues à celles des figures de la Sainte-Chapelle.

Les nouveautés issues de la peinture eyckienne s'affirment dès le milieu du siècle à la verrière de l'*Annonciation* offerte par l'argentier Jacques Cœur. L'auteur du carton est probablement Jacques de Littemont, un autre artiste « nordiste » qui connaît les nouveautés flamandes, tout en sachant se plier aux exigences techniques de la peinture sur verre. La composition ne tient pas compte de la division de la baie en quatre lancettes grâce à un immense portique qui l'unifie. Les saints patrons du célèbre argentier, Jacques, et de sa femme, Catherine, debout dans les lancettes latérales, présentent la scène de l'Annonciation qui s'étend sur les deux lancettes médianes. Une telle ordonnance marque un moment essentiel de l'histoire du vitrail qui se libère alors de la contrainte du cadre architectural de la baie pour devenir un tableau.

Dans les autres régions, les nouveautés septentrionales ne s'imposent pas aussi facilement. Les traditions anciennes se poursuivent encore quelques décennies en Normandie, sauf à la cathédrale d'Évreux où les verrières dites « royales » du haut chœur et celles de la chapelle de la Vierge témoignent de l'évolution formelle du vitrail. Les surfaces blanches, notamment les encadrements architecturaux, s'étendent encore et s'opposent encore plus que précédemment aux parties figurées sombres. Les ateliers français, fort nombreux, restent le plus souvent attachés à leurs principes stylistiques. En revanche, quelques maîtres cherchent à intégrer les nouveautés nordistes et flamandes à leur propre art à partir du deuxième tiers du siècle (Lyonnais, Bourgogne). Ces artistes amorcent en général un retour à la couleur et à des compositions historiées, renouvelant la formule du saint sous dais architectural par l'abandon des détails stéréotypés. Par exemple, à Paris, à l'église Saint-Séverin, certaines figures de saints ornant les baies du chœur et de la nef restent abritées dans des niches blanches (1460-1470). Dix ans plus tard, la couleur est revenue, les visages sont individualisés. Dans la mouvance de ce courant novateur parisien se place une œuvre d'une qualité exceptionnelle, la rose de l'*Apocalypse* au revers de la façade

32. Ambierle (Loire),
église Saint-Martin,
Saint évêque,
vers 1480,
h. 1 m, l. 0,80 m env.

occidentale de la Sainte-Chapelle de Paris (après 1485).

• *Angleterre*

Les ateliers adoptent progressivement les nouveautés flamandes. L'école d'York, déjà renommée au XIVe siècle, continue d'être très active dans le nord du royaume. Norwich joue le même rôle pour les provinces orientales et Oxford pour le centre. Les peintres doivent s'adapter aux formes complexes de l'architecture (*Perpendicular Style*). Les nombreux ajours des réseaux accueillent des cortèges d'anges ou sont réservés à des motifs héraldiques. Comme en France, la coloration reste longtemps claire grâce à l'utilisation de fonds losangés blancs ornés de feuilles, de blasons ou même d'oiseaux sur lesquels se détachent les figures. Mais les peintres reviennent petit à petit à la pleine couleur. Les encadrements architecturaux diminuent. Les personnages apparaissent sur des fonds paysagés comme à la verrière de la chapelle Saint-Jean à l'église de Ludlow (Shropshire).

• *Empire*

Le XVe siècle marque la période du plein épanouissement du vitrail germanique dont les manifestations dépassent le cadre de l'Empire. Des praticiens germaniques travaillent sur des chantiers européens éloignés de leur région d'ori-

33. Quemper-Guezennec (Côtes-du-Nord),
Symbole des Apôtres, détail,
Tête de prophète,
vers 1480,
h. 0,18 m.

gine, par exemple à la cathédrale de Séville vers 1480.

L'art du vitrail suit des traditions différentes de celles des autres pays. Une collaboration brillante s'instaure entre praticiens et graveurs qui fournissent des cartons, situation qui fait souvent évoluer le style vers une facture méticuleuse et ouvragée.

Comme précédemment, les ateliers strasbourgeois font preuve de dynamisme et rayonnent dans les régions avoisinantes. La métropole alsacienne demeure un lieu d'échanges entre peintres verriers locaux et artistes venus des Flandres, de France et d'Italie. A partir du milieu du siècle, la production est dominée par Peter Hemmel d'Andlau qui, associé à quatre praticiens locaux, obtient des commandes dans les régions sud de l'Empire. Le recensement de ses productions dépasse le chiffre d'une cinquantaine, qu'il s'agisse de verrières isolées ou de séries de vitraux. A Strasbourg, une seule de ses œuvres est encore en place, la verrière de *Sainte Catherine* à Saint-Guillaume (1472). Empruntant beaucoup de son style aux effets de la gravure sur cuivre et de la sculpture sur bois, Hemmel et son équipe exploitent toutes les possibilités techniques de la peinture sur verre pour créer une facture à la fois réaliste et dramatique.

Parmi les autres villes de l'Empire, Ulm est un foyer spécialement actif pendant la première moitié du siècle, grâce à la dynastie des Acker. Le père, Jacob, est chargé d'exécuter vers 1430 les verrières de la chapelle de la famille Besserer à la cathédrale, sur des cartons du peintre Lucas

Moser. Son fils, Hans, est chargé de réaliser plusieurs vitraux du haut chœur à la cathédrale de Berne. Leur influence s'étend aux régions du Rhin supérieur et à la Lorraine, notamment à l'église Saint-Marcel de Zetting, près de Sarreguemines. A la fin du siècle, Nuremberg devient un centre important. Dans le Nord, les ateliers de Lübeck rayonnent jusqu'en Scandinavie. La création rhénane, fortement influencée par la peinture des Flandres, se concentre à Cologne.

• *Espagne*

La production est généralement confiée à des praticiens étrangers (français, flamands et germaniques) installés en principe à Burgos. En Catalogne les travaux restent l'apanage de peintres locaux, souvent influencés par l'art du peintre retablier Luis Borrassá.

C'est à la cathédrale de Tolède que le vitrail connaît un essor particulier. L'édifice, reconstruit au cours du XIIIe siècle, est vitré lentement pendant les XIVe et XVe siècles par des praticiens français et germaniques dont le plus célèbre, Enrique Alemán, donne une impulsion particulière à cette technique artistique, jusqu'alors marginale. Quand les Rois catholiques réalisent la réunification du royaume, une brillante période commence pour le vitrail espagnol qui demeure dominé par des verriers germaniques, notamment des Alsaciens proches de Peter Hemmel.

• *Italie*

Le vitrail reste aux mains de peintres qui confient la réalisation de leurs cartons à des praticiens locaux ou étrangers. A la cathédrale de Florence, ce sont des peintres chevronnés, Ghiberti, Uccello, Donatello, Andrea del Castagno, qui sont chargés des cartons des roses de la façade occidentale et des lunettes de la coupole. Une exécution magistrale aboutit à la réalisation de vitraux d'une autorité formelle et d'une coloration remarquables qui renouvellent le champ pictural de cette technique artistique. Ces collaborations connaissent un grand succès : Fra Filippo Lippi travaille à la cathédrale de Prato, Ghirlandaio aux verrières du chevet de Santa Maria Novella à Florence. Mais des ateliers toscans se spécialisent dans l'adaptation et la réutilisation de cartons de peintres, ce qui conduit rapidement à des pastiches perdant toute originalité stylistique.

En Italie du Nord, le grand chantier de vitrerie est celui du dôme de Milan dont la construction débute en 1386-1387. La première campagne de vitraux, dont il reste fort peu, commence en 1404. L'entreprise s'arrête alors jusqu'aux années 1460 et reprend par les verrières historiées de la nef, offertes par des corporations d'artisans qui choisissent de représenter la vie de leur saint patron (par exemple, les orfèvres, saint Éloi). Les fenêtres suivent la même ordonnance, présentant des séries de scènes rectangulaires superposées, selon un parti proche des peintures sur panneaux contemporains. Les cartons sont confiés, comme en Toscane, à des peintres réputés qui sont ensuite chargés d'autres chantiers en Lombardie et au Piémont.

IX

XVIe siècle

Les ateliers continuent d'être actifs pendant la première moitié du siècle : des maîtres dominent la production qui accepte progressivement les nouveautés de la Renaissance. Puis la crise religieuse qui secoue l'Europe et ses conséquences politiques entraînent la raréfaction des commandes et la fermeture de nombreux ateliers.

Des maîtres qui signent leurs œuvres

Les vitraux signés sont peu nombreux jusqu'au XVe siècle. Leur nombre croît et se généralise au XVIe siècle. D'une part, on conserve un grand nombre des contrats concernant des commandes de vitraux toujours en place. D'autre part, de nombreux vitraux portent des signatures de peintres et des dates d'exécution. Le Picard Mathieu Bléville appose son monogramme sur la verrière de la *Passion* de l'église de La Ferté-Milon (Aisne). Engerand le Prince, chef d'une dynastie beauvaisine, inscrit le début de son prénom ENGR. sur ses œuvres à Rouen et à Beauvais. A la cathédrale d'Auch, une inscription, placée sur l'une des verrières du chœur, indique la date à laquelle le maître Arnaut de Moles termine leur pose: « LO XXV DE IHUN MIL V CENS XIII FON ACABADES LAS PRSENS BERINES EN AUNOUR DE DIEU ME DE NOSTR. ARNAUT DE MOLES » (le 25 juin 1513, ont été achevées en honneur de Dieu, notre Seigneur: Arnaut de Moles). Un ajour du tympan de la verrière de la *Passion* à l'église Saint-Nizier de Troyes, placée dans la baie haute voisine de celle de l'axe, porte une inscription qui donne la date de son exécution: « EN LAN MIL CINQ CENS XXII JE FUZ BIEN ASSISE » [posée].

Les maîtres verriers se déplacent toujours autant. Le Flamand Arnoult de Nimègue ou La Pointe, après un séjour à Tournai où il exécute des vitraux à la cathédrale, vient s'installer provisoirement à Rouen. Il réalise, entre autres, la verrière de l'*Arbre de Jessé* (1506) à Saint-Godard, avant de retourner à Anvers où il meurt en 1540. Il domine la production rouennaise pendant les premières décennies du siècle: les ateliers copieront ses modèles et ses méthodes picturales pendant quelques décennies encore. Certains peintres, comme l'Alsacien Valentin Bousch venu à Metz, se fixent dans leur ville ou leur province d'adoption. Bousch, peintre verrier attaché au chapitre de la cathédrale de Metz entre 1520 et 1541, continue à réaliser des vitraux pour d'autres édifices lorrains et alsaciens.

34. Auch, cathédrale,
David, saint Jacques et Zacharie,
par Arnaut de Moles, 1507-1513,
h. 7 m env., l. 2,50 m.

De nouveaux perfectionnements techniques

Les maîtres verriers s'appliquent à trouver des procédés techniques qui facilitent l'élaboration des vitraux et qui en réduisent les délais d'exécution. A partir du milieu du siècle, l'emploi du diamant s'impose pour couper les verres et supprime les inconvénients de la méthode longue et délicate jusqu'alors utilisée d'un fer porté au rouge (cf. chap. IV). L'utilisation du diamant permet d'effectuer des coupes précises (sans recourir au service d'un grugeoir) et évite les nombreux accidents de casse du premier procédé.

Au même moment apparaissent les tire-plomb* qui simplifient la fabrication des baguettes de plomb. Ces machines, qui raccourcissent aussi la durée de fabrication des vitraux, produisent des plombs réguliers et souples mais moins résistants que ceux fabriqués jusqu'alors au rabot.

La pose de la peinture se modifie à nouveau : les peintres verriers savent parfaitement appliquer la grisaille traditionnelle comme le jaune d'argent et la sanguine afin d'en tirer le maximum d'effets picturaux. En plus ils utilisent de nouvelles peintures vitrifiables proches des émaux. Ces préparations permettent l'apposition sur une même pièce de plusieurs couleurs et la réalisation de dégradés (cf. chap. IV). Les premiers exemples datés de l'application d'émaux* sur des vitraux en France remontent à 1543 et 1544 et s'observent sur deux verrières —

consacrées l'une à l'*Enfance du Christ* et la seconde au thème de l'*Ecce Homo* — de l'église de Montfort-l'Amaury, à l'ouest de Versailles. A la différence de la grisaille, les émaux s'infusent moins profondément dans le verre lors de la cuisson et tiennent moins bien. Le procédé est rapidement adopté par les ateliers, notamment par ceux spécialisés dans la réalisation de petits vitraux figurés ou historiés insérés dans des vitreries* blanches et nommés rondels*.

Retour à des compositions variées

L'ordonnance des vitraux se diversifie. La plupart des ateliers continuent de pratiquer le vitrail-tableau déjà si prisé pendant la seconde moitié du XVe siècle.

Quelques foyers de production, par exemple Troyes, redécouvrent la formule de la verrière* légendaire (cf. chap. VI). Les compositions se distribuent presque toujours en plusieurs registres qui comptent chacun plusieurs compartiments historiés rectangulaires identifiés facilement par une inscription placée en bandeau au-dessous de la scène.

La vogue de petit panneaux peints qu'on accroche au-devant des fenêtres se répand de plus en plus, notamment dans les demeures, au point qu'on peut employer le terme « fabrication industrielle » (Jean Lafond) à leur propos. Appelés parfois « vitraux de cabinet » (*Kabinettscheiben*), ils font une grande place à l'héraldique et célèbrent les moments importants de la vie d'un homme, d'une famille ou encore d'une institution.

Renouvellement du répertoire décoratif et iconographique

Les nouveautés de la Renaissance apparaissent dès la fin du XVe siècle grâce au commerce des estampes qui permettent aux peintres verriers de connaître l'œuvre d'artistes étrangers, spécialement d'Italiens. La tradition gothique se maintient néanmoins plus ou moins longtemps suivant les ateliers. Tout d'abord les dais gothiques se parent de motifs issus du répertoire décoratif de la Renaissance italienne, comme des guirlandes retenues aux extrémités par des mascarons à têtes animales (bucranes) ou humaines, et par des putti (figures de génies ailés tenant des attributs symbolisant des allégories pendant l'Antiquité).

Le cadre architectural des compositions se transforme progressivement en des arcs de triomphe, des temples pseudo-romains à entablements et à frontons qui s'ouvrent sur des paysages variés.

L'iconographie traditionnelle conserve ses adeptes : les représentations de saints demeurent les sujets les plus souvent choisis comme, par exemple, sainte Barbe qui jouit toujours d'une grande popularité. L'essor du vitrail-tableau oblige les peintres verriers à ne choisir qu'un seul

35. Rouen, église Sainte-Jeanne-d'Arc,
Vie de saint Pierre
provenant de l'église détruite de Saint-Vincent
et exécutée par l'atelier des Leprince,
Beauvais, détail,
Tête de l'apôtre,
vers 1530,
h. 0,20 m env.

épisode de la vie d'un saint, en général son martyre en raison de sa valeur exemplaire.

En revanche, la libre circulation des estampes favorise la diffusion de nouveaux modèles qui modifient le traitement iconographique et stylistique des compositions. Les ateliers en possèdent de nombreuses dont ils se servent comme de répertoires d'images qu'ils adaptent à leurs travaux. Ils opèrent des choix qui rendent délicate la reconnaissance des modèles, mais qui témoignent de leur profonde imprégnation de l'œuvre de peintres italiens, comme Raphaël, ou nordiques, comme Dürer, connus grâce aux gravures, par exemple, de Marc-Antoine Raimondi.

Les nouveautés iconographiques propagées par la Renaissance inspirent néanmoins des maîtres verriers. Le meilleur exemple est le vitrail rouennais des *Chars*, œuvre des Leprince (1515) qui tire son nom de sa composition originale. Aujourd'hui remontée dans l'église Sainte-Jeanne-d'Arc, la verrière, consacrée à la Vierge, est présentée selon le schéma des triomphes païens offerts aux généraux romains victorieux et dont les bas-reliefs des arcs de triomphe antiques gardent le souvenir. Le thème, qui se développe en une procession terminée par un char où se tient le héros, est célébré par Pétrarque, puis fait l'objet d'une interprétation plastique par des artistes de la Renaissance, dont Dürer, pour glorifier une figure religieuse. A Rouen il célèbre la Vierge, victorieuse de Satan grâce au mystère de l'Incarnation. La verrière, distribuée en trois registres, illustre successivement le triomphe de l'innocence ou celui d'Adam et d'Ève avant le péché originel: le suivant, celui de Satan qui réussit à les tenter ; le dernier, celui de la Vierge considérée ici comme la nouvelle Ève.

Maîtres et ateliers

Pendant les premières décennies, le vitrail connaît une période florissante en Europe. Autour de maîtres réputés gravitent de nombreux ateliers qui s'inspirent souvent de leurs travaux.

• *France*

Près des deux tiers des vitraux anciens conservés en France datent de cette période. C'est la preuve éclatante que cet art continue à y être l'expression picturale privilégiée. Des ateliers s'activent dans tout le royaume. Au début du siècle, Arnoult de Nimègue impose à Rouen un style italianisant qui domine la production normande pendant plusieurs décennies, même après la venue d'un autre grand maître, le beauvaisin Engerand le Prince. Cet artiste exécute avant 1525 un admirable *Arbre de Jessé* à Saint-Étienne de Beauvais, qui lui donne sa renommée. Appelé notamment à Rouen, il y réalise de nombreux travaux d'une extraordinaire virtuosité dont la verrière des *Chars*, déjà mentionnée.

A partir des années 1540, le courant maniériste de l'école de Fontainebleau, haut lieu de la création artistique sous le règne de François Ier

36. Rouen, église Sainte-Jeanne-d'Arc,
Verrière des Chars
provenant de l'église détruite de Saint-Vincent
et exécutée par l'atelier des Leprince,
détail, registre inférieur droit,
La Douleur et le Travail,
(au fond, vue de Rouen avec le pont, la cathédrale
et le clocher de Saint-Martin),
1515,
h. 0,80 m, l. 0,65 m.

qui y fait venir de nombreux artistes italiens, inspire de nombreux peintres verriers parisiens dont Nicolas Beaurain, auteur des vitraux de la Sainte-Chapelle de Vincennes (1550-1560). Ce courant stylistique gagne progressivement la province, notamment la Bretagne où de nombreux ateliers sont à l'œuvre (Cornouaille, Rennes).

Dans le Centre, les peintres verriers acceptent facilement les nouveautés italiennes. Jean Lécuyer, acquis à ces transformations, exerce une influence notable sur les ateliers berrichons. Il est l'auteur de plusieurs fenêtres qui comptent parmi les plus caractéristiques de l'évolution du vitrail français pendant la première moitié du siècle, dont celle de la chapelle des Tullier à la cathédrale de Bourges (1532). Ce sont des œuvres équilibrées par leur composition et par leur exécution, aux tonalités claires, et empreintes de nombreux italianismes. Cette dernière influence est essentielle pour comprendre le devenir du vitrail en Touraine jusque dans le Maine, où domine la dynastie des Courtois, installée à La Ferté-Bernard, petite ville située à l'est du Mans.

En Champagne, l'activité est concentrée à Troyes où de nombreux ateliers pratiquent le vitrail selon des procédés presque industriels, tant ils réutilisent les mêmes cartons. Leurs productions consistent surtout en des vitraux légendaires, à nombreuses scènes, d'un style familier et fortement coloré. Les verrières de la haute nef de la cathédrale de Troyes, exécutées au tout début du siècle, constituent l'un des exemples les plus originaux. L'activité des peintres troyens déborde le cadre de la province:

37. Paris, église Saint-Gervais et Saint-Protais, ***Jugement de Salomon*** attribué à R. Pinaigrier, 1531, h. 8,20 m, l. 4 m.

certains travaillent à la cathédrale de Sens, d'autres en Bourgogne — la verrière de *Sainte Barbe* à Semur-en-Auxois s'inscrit dans cette mouvance stylistique (1525). Dans cette région, la tradition flamande demeure ancrée pendant quelques décennies, comme en témoigne la verrière de l'*Arbre de Jessé* à la cathédrale d'Autun (1515). L'art bellifontain domine avant le milieu du siècle, notamment aux verrières hautes de l'église de Saint-Florentin, au nord-est d'Auxerre.

Les verrières de l'église de Brou, aux portes de Bourg-en-Bresse, forment l'ensemble qui rend le mieux compte de la virtuosité des peintres verriers du Sud-Est. L'église du monastère, fondée par Marguerite d'Autriche à la mémoire de son mari, Philibert II de Savoie (mort en 1504), est construite et vitrée entre 1513 et 1533. Les vitraux, encore inspirés par l'art des Flandres, accueillent aussi des italianismes. Le mélange de traditions diverses est caractéristique de l'évolution de nombreux ateliers français pendant les premières décennies, avant que la plupart ne soient acquis aux nouveautés propagées par l'école de Fontainebleau.

- *Angleterre*

Le début du siècle marque la période du plein épanouissement du vitrail flamand en Europe. Beaucoup de peintres verriers s'expatrient et « colonisent » des ateliers européens. En Angleterre, Dirk Vellaert fournit plusieurs cartons pour les vitraux de la chapelle du King's College

38. Rouen, Saint-Ouen, nef,
Rencontre de saint Antoine et de saint Paul ermite,
déb. XVIe.

à Cambridge, exécutés en deux temps, d'une part entre 1515 et 1517, et d'autre part de 1526 à 1531. Des praticiens flamands sont à l'origine de principales verrières exécutées alors en Angleterre, comme celle consacrée à saint Nicolas à l'église d'Hillesden (comté de Buckingham). Après la rupture du roi Henri VIII avec le pape en 1534, le vitrail, banni des édifices religieux, décline rapidement.

• *Espagne*

La production espagnole, en plein essor, est dominée par la personnalité d'un peintre flamand, Arnaut de Flandres (Arnao de Flandes). Ses deux fils œuvrent surtout en Andalousie, spécialement dans les cathédrales de Grenade et de Séville. Dans ce dernier édifice, Charles de Bruges (Carlos de Brujas), un autre Flamand, est l'auteur de l'admirable verrière consacrée à la Résurrection du Christ (1558). La situation est différente en Catalogne où les commandes restent aux mains d'artistes autochtones comme la dynastie des Fontanet, originaire de Lérida.

• *Flandres*

Dans cette région, les verrières du chevet de la collégiale de Saint-Gommaire à Lierre sont l'œuvre du peintre Nicolas Rombouts (1519). Les artistes flamands intègrent ensuite les nouveautés de la Renaissance italienne à leurs propres traditions, comme Bernard Van Orley, formé à

Rome par Raphaël. Les deux verrières qu'il exécute en 1537 pour des baies du transept de la cathédrale Sainte-Gudule à Bruxelles montrent qu'il comprend parfaitement la leçon italienne, en plaçant ses personnages dans un encadrement architectural à l'antique décoré de nombreuses frises et guirlandes. Dirk et Wouter Crabeth suivent des principes analogues pour les trente et une verrières historiées qu'ils réalisent entre 1555 et 1570 à Saint-Jean de Gouda, le plus grand chantier de vitrerie encore actif en Europe.

• *Empire*

L'art de Dürer est essentiel pour saisir l'évolution du vitrail germanique à cette époque. Il n'est pas seulement l'auteur de cartons, mais son œuvre gravée, aussitôt diffusée en Europe, inspire de nombreux ateliers alors concentrés à Cologne et à Nuremberg. Le célèbre artiste forme aussi des élèves qui, comme Hans von Kulmbach, deviennent à leur tour des cartonniers réputés. L'appel à des graveurs et des peintres réputés est courant : par exemple, Hans Baldung Grien crée les cartons de plusieurs verrières du chœur de la cathédrale de Fribourg-en-Brisgau.

• *Italie*

En Italie du Nord, peintres verriers flamands et germaniques rivalisent d'influence. Après une longue interruption, le chantier du dôme de

Milan reprend en 1539. Confiée en 1544 à un artisan d'origine colonaise, Conrad de Mochis (Much), l'entreprise est reprise en 1572 par la famille van Diependaele, originaire de Louvain.

L'art du vitrail pénètre enfin l'Italie centrale grâce à un maître français, Guillaume de Marcillat, probablement originaire du Berry. Fort expérimenté, comme nous l'apprend son élève Vasari, l'auteur des *Vies des meilleurs peintres, sculpteurs et architectes*, Marcillat travaille à Rome où il réalise deux verrières consacrées à la Vierge à Santa Maria del Popolo (1508-1510). De 1515 à 1525, entre plusieurs séjours à Rome, il dirige l'exécution de cinq verrières historiées destinées aux fenêtres du collatéral sud du dôme d'Arezzo. Immenses compositions représentant des épisodes de la vie du Christ (*Baptême, Vocation de Matthieu, Résurrection de Lazare, Jésus chassant les marchands du Temple* et *La Femme adultère*), ces œuvres, tout en se rapprochant le plus possible des effets de la peinture non translucide, magnifient les qualités propres à l'art du vitrail. Marcillat, peintre et fresquiste, réussit ce prodige grâce à son immense talent pictural et à sa connaissance profonde de la technique du vitrail. Le maître forme plusieurs élèves dont Pastorino, auteur de la verrière située au revers de la façade occidentale de la cathédrale de Sienne (1549).

C'est alors que, parvenu à un degré extraordinaire de maturité formelle et picturale, le vitrail monumental connaît une vacance de plus de deux siècles presque partout en Europe.

X

XVIIe et XVIIIe siècles

Les guerres de Religion suivies de difficultés économiques entraînent l'arrêt des commandes de vitraux monumentaux après 1560 dans plusieurs pays d'Europe. Les dispositions du concile de Trente excluent le vitrail de couleur du décor des églises, pour le remplacer par des vitreries claires ornées de bordures peintes à l'émail qui permettent d'éclairer les nouveaux aménagements liturgiques du sanctuaire. De nombreux ateliers ferment.

Survivance de quelques foyers au XVIIe siècle

Le vitrail de couleur ne disparaît pas brusquement pendant la seconde moitié du XVIe siècle. La pratique de la restauration continue d'occuper des artisans. En revanche, la création se ralentit durablement : quelques foyers restent cependant actifs (Bourges, Paris, Toulouse, Troyes) au XVIIe siècle. A Paris, la dynastie des Pinaigrier exécute de nombreux vitraux dans des

39. Troyes, église Saint-Martin-ès-Vignes,
Vie de sainte Julie,
début du XVIIe siècle,
h. 4 m env., l. 3,20 m env.

églises, notamment à Saint-Gervais. Les fenêtres hautes du chevet et du chœur de Saint-Eustache occupées par de puissantes figures monumentales représentant le saint patron et les apôtres restent encore fortement colorées. Insérées dans un encadrement architectural encore gothique, elles sont signées ANTOINE SOULIGNAC. 1631. La production se résume généralement à des vitraux qui comptent encore des verres de couleur teintés dans la masse mais en principe peints à l'émail. En Normandie, l'église de Pont-de-l'Arche (Eure) reçoit une partie de son décor vitré, dont un *Arbre de Jessé* composé de figures peintes à l'émail entourées d'architectures traitées à la grisaille. Le dynamisme des ateliers troyens continue grâce aux familles Barbarat et Gontier qui exécutent de nombreux vitraux pour des églises de la ville et des environs. L'église Saint-Martin-ès-Vignes est entièrement décorée au cours de la première moitié du siècle de verrières historiées qui restent dans la tradition de la peinture sur verre troyenne du XVIe siècle.

Plusieurs pays d'Europe connaissent une situation analogue: la peinture à l'émail se substitue à la grisaille. Par exemple, à Oxford, Abraham et Bertrand de Linge s'y adonnent. Le verre de couleur devient de plus en plus difficile à trouver: les verreries ne veulent plus en produire car elles n'en ont pas la vente.

Dans l'Empire et dans les Flandres, la vogue de panneaux héraldiques accompagnés de sujets religieux occupe de nombreux ateliers comme celui des Linck à Strasbourg. Ils sont peints à l'émail sur des verres blancs et rehaussés de jaune d'argent. Le vitrail monumental de couleur ne

40. Paris,
église Saint-Eustache,
haut chœur, côté nord,
Saint Grégoire,
par A. Soulignac, 1631,
h. 7,60 m, l. 1,80 m.

survit guère que dans des pays comme l'Espagne où cet art est implanté depuis peu de siècles.

Vogue des vitreries blanches au XVIIIe siècle

Pendant la seconde moitié du siècle, la situation devient de plus en plus critique : le vitrail de couleur, passé de mode, est remplacé par des vitreries * blanches à bornes et à motifs en forme de losange dont le peintre verrier Pierre le Vieil recense les différents modèles dans son ouvrage : *L'Art de la peinture sur verre et de la vitrerie*, publié à Paris en 1774.

Cet ami des Encyclopédistes y consigne aussi les principes du vitrail ancien qu'il entend faire revivre. Il n'est pas le seul à lutter pour sa réutilisation. A Paris, Guillaume Brice, restaurateur des roses de Notre-Dame, possède une importante collection de vitraux médiévaux achetés à un avocat de renom. Le cas de Jean-Adolphe Dannecker, marchand de pain d'épices à Strasbourg, est presque pathétique. Le Strasbourgeois se passionne pour retrouver les secrets de la technique du vitrail ancien et y perd sa fortune. Il réussit toutefois à exécuter plusieurs verrières, dont une *Vierge à l'Enfant* destinée à la cathédrale de Strasbourg et peinte en 1756 (aujourd'hui conservée au musée de l'Œuvre Notre-Dame). Plus tard il adresse une supplique au surintendant des Bâtiments du roi pour réhabiliter les procédés de fabrication du vitrail traditionnel. La réponse, confiée au graveur

41. Paris, musée de Cluny,
Panneau héraldique,
1686,
h. 0,50 m, l. 0,30 m.

Nicolas Cochin, est péremptoire : « A la vérité, on n'en [vitrail] a plus l'usage, parce que ni dans les appartements ni même dans les églises, on ne veut rien qui puisse diminuer la lumière. Ainsi, quand il serait prouvé qu'il eût été perdu et qu'on l'eût retrouvé, on ne saurait qu'en faire ». Mais déjà, en Angleterre, l'antiquaire Horace Walpole réunit une collection de vitraux médiévaux dans sa maison de Strawberry Hill, près de Londres : le goût pour le Moyen Age commence à revenir. Plusieurs peintres verriers, dont William Peckitt au transept de la cathédrale d'York, redécouvrent la peinture à la grisaille et la mise en plomb traditionnelle pour élaborer des vitraux. Le vitrail monumental a-t-il déjà les moyens de renaître ?

XI

XIXe siècle

La « redécouverte » du Moyen Age, spécialement de la période gothique, s'accompagne de recherches passionnées sur les arts de cette époque. Cette situation profite au vitrail qui connaît un essor exceptionnel en Europe, d'autant que le XIXe siècle correspond à un moment de restauration de la foi catholique, spécialement en France.

Retour à la technique traditionnelle

Le premier quart du siècle doit être considéré comme une période expérimentale durant laquelle des chimistes sont mis à contribution pour retrouver les procédés de la technique traditionnelle du vitrail. Ils rencontrent néanmoins des difficultés pour maîtriser la fabrication de certains verres de couleur, la composition et l'application de la grisaille. Leurs productions n'arrivent pas à copier celles du Moyen Age malgré leurs efforts. Tel est le cas d'un vitrail

42. Paris, église Saint-Roch,
nef, côté nord,
Christ en croix,
par Mortelèque, 1816,
h. 4,50 m, l. 2,80 m.

représentant un Christ en croix, toujours en place dans une baie d'une chapelle de la nef à Saint-Roch de Paris. L'œuvre, exécutée en 1816 par un chimiste du nom de Mortelèque, témoigne des problèmes rencontrés pour contrôler les procédés anciens. La verrière se compose de grandes plaques de verre blanc. Seules les pièces qui forment la figure du Christ sont peintes et serties dans des plombs. On reste encore loin des effets propres au vitrail médiéval. En outre, des ateliers comme celui ouvert à la Manufacture royale de porcelaine de Sèvres en 1828 continuent à utiliser abondamment les émaux pour peindre. Certaines étapes de la fabrication traditionnelle comme la cuisson des pièces peintes à la grisaille ou le sertissage en plomb restent difficiles à maîtriser jusqu'aux années 1835-1840.

Essor du vitrail archéologique (1830-1870)

« C'est de la mosaïque qu'il faut faire et non des tableaux », écrit à propos du vitrail le médiévaliste Adolphe-Napoléon Didron en 1844 dans le premier tome de la revue qu'il vient de fonder, les *Annales archéologiques*. Le terme « mosaïque » souligne l'admiration que le célèbre « archéologue » porte au vitrail du XIIIe siècle. Sa prise de position oriente les choix de nombreux ecclésiastiques sur lesquels il exerce une sorte de magistère artistique et moral pendant plusieurs décennies. La pose en 1839 d'une verrière consacrée à la Passion et inspirée par l'iconographie et

43. Plessé (Loire-Atlantique),
chapelle du château de Carheil,
Sainte Élisabeth et saint François d'Assise,
vitraux exécutés à Sèvres, 1846,
saint François sur un carton d'Ingres
et sainte Élisabeth par A. Hesse,
h. 4,05 m, l. 1,73 m.

le style des verrières gothiques de la Sainte-Chapelle (dans la baie du chevet de Saint-Germain-l'Auxerrois à Paris) est saluée avec enthousiasme. En Angleterre, la préférence va aux œuvres du XIVe siècle dont il reste de nombreux exemples.

La pratique des restaurations qui se multiplient après 1840 fait faire de grands progrès techniques aux praticiens. Ces interventions, contrairement à l'opinion couramment admise aujourd'hui, sont préparées avec grand soin. Des calques sont levés sur les vitraux au moment des déposes et donnent l'état de conservation de chaque panneau. Pendant les travaux, plusieurs inspections ont lieu en présence des architectes maîtres d'œuvre et d'archéologues qui en profitent pour agrandir le champ de leurs recherches et publier des ouvrages comme celui des PP. jésuites Cahier et Martin sur les vitraux du XIIIe siècle de la cathédrale de Bourges (1841-1844).

Les maîtres verriers utilisent couramment les planches de ces ouvrages comme références pour concevoir leurs propres « créations ». Les verrières anciennes en cours de restauration leur servent aussi de modèles. En 1845, par exemple, le peintre verrier clermontois Thévenot s'inspire de plusieurs verrières gothiques du chevet de la cathédrale de Bourges qu'il vient de restaurer pour réaliser de nouvelles fenêtres destinées aux baies de Notre-Dame-du-Port à Clermont-Ferrand. De tels exemples sont légion. Les sources formelles et iconographiques des vitraux de style « archéologique » se discernent facilement, bien que la copie ne soit jamais servile. Les praticiens opèrent en effet des choix iconographiques les

44. Saint-Denis,
ancienne abbatiale,
L'enfance du Christ
par A. Gerente,
1853.

adaptant, avec l'aide de leurs commanditaires, aux mentalités des fidèles qui ont beaucoup évolué depuis le XIIIe siècle. Le principe aboutit souvent à des œuvres intéressantes jusqu'aux années 1870, même si ce sont des pastiches de vitraux médiévaux. De nombreux ateliers (Thibaud et Thévenot à Clermont-Ferrand, Lusson au Mans et à Paris, les frères Gérente à Paris) se spécialisent dans le vitrail « archéologique » dont les références dépassent le cadre artistique du Moyen Age. En Normandie, par exemple, des maîtres verriers comme Jules Boulanger trouvent plutôt leur inspiration dans des œuvres de la Renaissance dont il reste de nombreux exemples sur place. Après 1870, le vitrail archéologique devient une production de masse et perd une grande partie de son intérêt. Les commandes affluent. Victime de son succès, le vitrail devient répétitif: on fait trop de verrières et trop vite en utilisant une technique devenue presque industrielle.

Développement du vitrail-tableau

Parallèlement à cette tendance, le vitrail-tableau qui s'étend en une composition unique sur une baie suscite tôt l'intérêt de quelques praticiens malgré l'opposition des médiévalistes. Dès 1830, l'atelier de Sèvres choisit de préférence ce type de vitrail, transcrivant notamment des tableaux de peintres comme *L'Assomption de la Vierge* de Prudhon à la sacristie de Notre-Dame-de-Lorette à Paris (1830). Le maître verrier lorrain Maréchal de Metz (1801-1887) s'efforce aussi de développer le vitrail-tableau qui correspond mieux à ses aspirations plastiques que le vitrail archéologique qui ne suit pas les tendances de la peinture contemporaine. Or, beaucoup de maîtres verriers sortent d'ateliers de peintres réputés comme Ingres.

Le cas du Lyonnais Claudius Lavergne (1814-1887) est sur ce point exemplaire. Élève d'Ingres et disciple de Lacordaire, Lavergne choisit de pratiquer le vitrail qu'il estime être « l'art chrétien par excellence » (B. Foucart). Il s'attache à en renouveler les codes iconographiques et stylistiques en privilégiant la formule du vitrail-tableau qui répond mieux à ses exigences d'artiste chrétien. Ses travaux, unanimement appréciés par le clergé libéral, deviennent rapidement des références. A la fin du siècle, son atelier de la rue d'Assas à Paris forme un grand nombre de praticiens. Charles Champigneulle (1820-1882) et Émile Hirsch (1832-1904) se spécialisent dans de grandes compositions à sujets historiques qui, à la faveur des luttes religieuses de la IIIe République, sont souvent choisis par les commanditaires. Le clergé ne veut pas être dépossédé de ses héros (par exemple Saint Louis, sainte Geneviève et Jeanne d'Arc), ni des événements qui témoignent de son passé glorieux et national au profit des anticléricaux. L'évolution religieuse et même sociologique de la France au XIXe siècle peut ainsi être appréhendée par l'analyse des vitraux fabriqués en grand nombre jusqu'en 1905, date de la loi de séparation entre l'Église et l'État.

45. Precey (Manche), église,
Pèlerinage du diocèse de Coutances à Notre-Dame de Lourdes,
par Duhamel-Marette, 1891,
h. 2,80 m, l. 1,20 m.

Prépondérance de William Morris en Angleterre

Le vitrail y connaît un essor particulièrement important dès le début du siècle. L'architecte Auguste Pugin et quelques maîtres verriers comme Thomas Willement sont à l'origine de la renaissance du vitrail traditionnel. En dépit de l'ouverture de nombreux ateliers, la production reste médiocre jusqu'en 1861, date à laquelle William Morris et ses associés, dont les peintres préraphaélites Burne-Jones et Dante G. Rossetti, créent une société spécialisée dans la décoration et les arts graphiques, The Morris and C° Ltd. Influencés par le critique d'art Ruskin, ces artistes s'inspirent d'abord de l'art médiéval et de celui de la Renaissance italienne, avant de trouver leur propre style, et considèrent de décor d'un édifice, mobilier inclus, comme un ensemble. Mettant à profit aussi leur expérience de peintres préraphaélites, ils créent un style original fluide qui, s'opposant à l'académisme de nombreux artistes contemporains, annonce l'Art nouveau. Le vitrail retrouve sa vocation d'art de la transparence, oubliée par beaucoup de praticiens européens, grâce à un graphisme souple, une coloration contrastée et une technique sophistiquée qui s'efface au profit de l'effet d'ensemble.

La Firm Morris rencontre immédiatement un énorme succès et donne une impulsion durable au vitrail en Angleterre, dans l'Empire britanni-

46. Château-Gontier (Mayenne),
église Saint-Remi,
Laissez venir à moi les petits enfants
par Alleaume, 1899,
h. 1 m, l. 0,80 m env.

que et aux États-Unis. De nombreux ateliers suivent une démarche analogue à celle de William Morris en fournissant le décor entier d'un édifice. Des artistes, notamment écossais comme Daniel Cottier qui ouvre des succursales à New York et à Sydney, jouent un rôle considérable dans le monde anglo-saxon. A la fin du siècle, le relais est pris par des associations d'artistes comme la Century Guild of Arts et par le mouvement Art and Crafts.

Expositions universelles et vitrail civil

En 1851 s'ouvre au Crystal Palace de Londres la première Exposition universelle. Douze autres suivent à intervalles irréguliers jusqu'en 1900. Ces manifestations sont l'occasion de confrontations, notamment entre les praticiens du vitrail auxquels une section est réservée dans les pavillons des Beaux-Arts. Le vitrail civil devient alors un élément essentiel du décor de la demeure et de l'édifice public et commercial. L'art japonais, révélé par l'Exposition de Londres en 1862, connaît une grande vogue : la faune et la flore des estampes d'Hokusai (1760-1849) deviennent des références obligées pour les verrières des cages d'escalier. A l'Exposition de Chicago, en 1893, on s'émerveille devant les verrières du décorateur et peintre américain Louis C. Tiffany (1848-1933), dont les verres chamarrés* et opalescents* ne sont pas encore employés en Europe. Une collaboration s'instaure entre l'artiste américain et un marchand d'art parisien, Samuel Bing, pour commander des cartons de vitraux à des peintres comme Toulouse-Lautrec, Bonnard et Vuillard, afin de donner un élan nouveau au vitrail.

Vitrail civil et Art nouveau

Le vitrail civil rencontre en effet les mêmes difficultés que le vitrail religieux, au point que Gauguin écrit au tournant du siècle: « Les vitraux, une belle peinture à régénérer! ». Le peintre pense-t-il aux créations de l'Art nouveau qui commencent à s'imposer? Le mouvement initié par quatre architectes européens, le Catalan Antonio Gaudí, l'Écossais Charles Mackintosh, le Français Hector Guimard et le Belge Victor Horta, transforme le devenir du vitrail qui trouve de nouvelles possibilités créatrices. Ces théoriciens, en rupture avec l'académisme professé par la génération précédente, estiment que l'architecture et le décor participent autant à la réussite d'une construction.

Espérant intégrer l'art aux luttes ouvrières et sociales, ils exploitent des sujets accessibles à tous et copient particulièrement la nature. Cet état d'esprit renouvelle la conception même du vitrail qu'ils associent à l'architecture métallique alors en expansion. Ils modifient aussi la technique traditionnelle en utilisant des verres opalescents qu'ils superposent, et préfèrent moduler la translucidité des verres par des travaux à l'acide plutôt que de les peindre abondamment comme la plupart de leurs confrères.

Cette tendance, connue sous divers noms en Europe (Jugendstil en Allemagne et en Autriche, Nieuwe Kunst aux Pays-Bas, Stile Liberty en Italie et Art nouveau en France), propose des solutions stylistiques différentes suivant les artistes. Par exemple, le dépouillement presque abstrait des verrières dessinées par Charles Mackintosh au salon de thé *Willow* à Glasgow s'oppose à la surenchère décorative des coupoles vitrées décorant les demeures construites par Victor Horta à Bruxelles. En France, le mouvement est particulièrement suivi à Nancy par Jacques Gruber (1871-1936). Technicien hors pair, ce créateur s'attache à adapter au vitrail les procédés inventés par Émile Gallé (1846-1904) pour la fabrication de vases. Superposant plusieurs couches de verre et procédant à des inclusions, Gruber sait mettre ces procédés au service d'un style fluide aux colorations nouvelles. Il est rejoint par quelques praticiens, mais la plupart des ateliers français restent trop timorés pour s'affranchir des conventions et des pratiques en usage au XIXe siècle, d'autant que leurs commanditaires y restent attachés.

Essor du vitrail aux États-Unis (fin du XIXe siècle)

Pendant la première moitié du XIXe siècle, la pratique du vitrail reste essentiellement religieuse et aux mains de peintres verriers venus d'Angleterre. Des praticiens aussi réputés que l'Écossais James Guthrie (1861-1908) y installent des succursales qui leur procurent de nombreuses commandes. L'essor du vitrail américain commence seulement au cours du dernier quart du siècle, quand deux artistes peintres choisissent de s'y consacrer, Louis Comfort Tiffany (1848-1933) et John La Farge (1853-1899). Le premier fait sensation en présentant à l'Exposition universelle de 1878 à Paris des vitraux et des bibelots, notamment des lampes, composés de verres opalescents et irisés, le second dix ans plus tard. Les Européens découvrent avec enthousiasme des vitraux dont les verres (constitués notamment de plusieurs couches de pâte de verre pressées ensemble) présentent une translucidité chatoyante et un traitement iconographique et stylistique nouveau. Leurs productions célèbrent la nature sous la forme de grands paysages qui ont un succès immédiat auprès de milliardaires pour décorer leurs villas. En revanche, Tiffany rencontre des difficultés pour imposer de tels sujets au clergé qui préfère les traditionnels vitraux archéologiques. L'une de ses plus importantes créations religieuses est la verrière de la First Presbyterian Church à Far Rockaway (Long Island, N.Y.), qui évoque la fin du monde représentée par un arbre isolé dans un paysage marécageux.

XII

XXᵉ siècle

La production du vitrail, stoppée par la Première Guerre, reprend rapidement après 1920 : la reconstruction d'édifices religieux apporte de nombreux travaux aux maîtres verriers qui, pour la plupart, essaient de s'affranchir des conventions du siècle précédent. Les tentatives pour donner un nouvel élan créateur au vitrail seront légion mais ne resteront trop souvent que des expériences gâchées par des praticiens qui ramènent le vitrail à une expression uniquement artisanale.

Maurice Denis et les ateliers d'art sacré (1900-1920)

Au début du siècle, le peintre symboliste Maurice Denis, profondément croyant, tente une nouvelle approche du vitrail religieux en préconisant une épuration des formes, un abandon des surcharges décoratives et un retour à une coloration naturelle. Il applique ces principes aux verrières des chapelles du chevet à l'église du Vésinet (1903-1904), son chef-d'œuvre. Le peintre exerce une influence notable sur des artistes chrétiens qu'il pousse à pratiquer le vitrail. En 1919, il ouvre, avec Georges Desvallières, un atelier consacré à l'art sacré où les rejoignent Jean Hébert-Stevens et Pauline Peugniez. Les mêmes dispositions animent d'autres artistes, dont Louis Barillet et Jacques Le Chevalier qui fondent et animent un autre groupe, les Artisans de l'autel.

Le vitrail et le style Art déco (1920-1930)

Architectes et décorateurs d'avant-garde utilisent toujours le vitrail comme élément du décor civil jusqu'aux années 1930. L'Exposition des arts décoratifs en 1925 à Paris donne l'occasion à quelques maîtres verriers de présenter leurs œuvres, dont la plupart suivent les principes du style Art déco. Ces artistes, dont Jacques Gruber est le chef de file, associent un graphisme géométrisé à une palette neutre mais enrichie par l'utilisation de verres imprimés remplaçant les effets de la peinture. Les compositions s'ordonnent selon un graphisme simplifié et déjà abstrait qu'animent des verres aux réfractions différentes multipliant les jeux de la lumière. Ces expériences, revivifiant la tradition du vitrail monochrome, ouvrent des possibilités de renouvellement chromatique et formel malheureusement éphémères, faute de clientèle.

47. Pontfaverger (Marne), église,
Chemin de croix, détail,
Vierge de pitié (IXe station)
par J. Gruber, 1927,
diam. 0,60 m env.

En 1926, le peintre Jean Arp et sa femme Sophie Taueber réalisent une série de vitraux abstraits (en partie disparus) destinés au décor de la brasserie de l'Aubette à Strasbourg. Inspirés par la démarche du peintre Theo Van Doesburg, fondateur avec Mondrian du groupe Stijl qui prône l'abstraction, ces vitraux ne font que reprendre une géométrisation déjà professée par Paul Klee et Josef Albers, qui animent un atelier de vitraux (fermé en 1933) au Bauhaus.

La « querelle de l'art sacré » (1925-1940) : l'action du P. Couturier

Les premières réalisations des Ateliers d'art sacré à l'église du Raincy par Marguerite Huré et Maurice Denis ou de l'ossuaire de Douaumont (près de Verdun) exécutées par Jean Hébert-Stevens sur des cartons de G. Desvallières (1927) répondent aux objectifs que se sont fixés les fondateurs : renouveler l'inspiration créatrice du vitrail en y introduisant les formes de la sensibilité artistique contemporaine et en refusant les poncifs archéologiques du siècle passé. Le clergé se montre peu favorable à cette nouvelle tendance. La reconstruction des églises des régions dévastées pendant la guerre et les travaux exécutés en région parisienne à l'initiative des Chantiers du cardinal (à partir de 1932) soulignent l'attachement des commanditaires — architectes et curés — à des formules artistiques souvent à peine rajeunies.

Lors de l'Exposition internationale de 1937, la présentation au pavillon pontifical de douze verrières figurées, destinées (jamais posées) aux baies de la haute nef à Notre-Dame de Paris, suscite des polémiques qui se révèlent bientôt bénéfiques pour le devenir du vitrail religieux. Commandés aux meilleurs praticiens du moment (L. Barillet, P. Couturier, J. Le Chevallier, J. Hébert-Stevens, J. J. K. Ray, M. Ingrand, J. Gaudin, J. J. Gruber), ces essais, dont plusieurs sont d'une conception tout à fait dépassée, ne convainquent pas. Le P. dominicain Couturier, qui assume la direction de la revue *L'Art sacré* avec le P. Regamey, écrit à ce propos :

> Le premier devoir du vitrail sera un devoir de protection et de défense, et cela implique immédiatement certains caractères d'ordre artistique : d'abord l'unité et la paix, des verrières paisibles et pacifistes (avant même qu'on puisse savoir ce qu'elles représentent) ; y regarder à deux fois avant d'adopter des lignes heurtées ou violentes, des forces discordantes [...]. Second devoir : enrichir la lumière intérieure de sa propre richesse [...]. Or cela se fait avec des couleurs, des formes et des lignes. Cela se règle non par des principes mais par le goût et la sensibilité qui ne sont point choses communes (*L'Art sacré*, décembre 1938, p. 344).

L'appel du religieux qui préconise notamment l'introduction de l'art abstrait dans le vitrail éveille des réactions favorables auprès du clergé dont le chanoine Ledeur en Franche-Comté.

L'appel aux peintres après la Seconde Guerre

Peintre lui-même, le P. Couturier estime que le renouvellement du vitrail passe par le recours à des peintres comme cartonniers. Cette contribution lui semble l'unique voie pour redonner un élan créateur au vitrail toujours enlisé dans des poncifs maintenant pseudo-abstraits. Juste avant qu'éclate la Seconde Guerre, il convainct plusieurs artistes de fournir des cartons de vitraux. Le maître verrier Jean Hébert-Stevens, qui le soutient dans son entreprise, obtient de Georges Rouault la permission de transcrire plusieurs de ses toiles en vitraux, qui sont présentés au Petit Palais à Paris en 1939 avec bon nombre d'autres dessinés aussi par des peintres.

Après la guerre, le P. Couturier reprend l'aménagement, commencé en 1939, de la chapelle Notre-Dame-de-Toute-Grâce au Plateau d'Assy en Savoie et, appliquant ses principes, confie les cartons des vitraux à des peintres (Rouault, Chagall — baptistère —, Jean Bazaine, Maurice Brianchon et lui-même). Le dominicain réunit trop d'artistes dont les talents s'opposent et le résultat déçoit. En raison de ce foisonnement disparate mais généreux, la chapelle d'Assy perd ainsi son caractère exemplaire pour n'être que la vitrine du vitrail religieux français autour des années 50.

Parallèlement, des expériences analogues se développent. Le peintre Alfred Manessier conçoit un ensemble de vitraux non figuratifs — le premier en France destiné à un édifice ancien

48. Varengeville (Seine-Maritime)
Arbre de Jessé
sur un carton de G. Braque, 1955,
h. 3 m, l. 1,20 m env.

— pour la petite église jurassienne des Bréseux (1947):

> Dans cette église si modeste, la miraculeuse pureté des moyens abstraits semblait dénouer des liens si vieux que depuis longtemps on n'en sent plus ni la force ni le poids (P. Couturier, *L'Art sacré*, 1950, n° 1, p. 2).

Des peintres de renom et de tous horizons (artistiques et politiques) sont sollicités. La plupart acceptent de s'investir dans le vitrail et créent des cartons qui sont exécutés par des praticiens de talent comme Paul Bony, Charles Marcq et Paul Virilio. De nombreux chantiers s'ouvrent dans des édifices contemporains ou anciens. Matisse conçoit le décor de la chapelle des dominicaines à Vence, sur les hauteurs de Nice, en appliquant aux cartons des vitraux son expériences des papiers découpés (1947-1951). Georges Braque renouvelle le thème ancien de l'Arbre de Jessé à l'église du cimetière marin de Varengeville, près de Dieppe (1955). Léon Zack réalise à Notre-Dame-des-Pauvres à Issy-les-Moulineaux, une banlieue sud de Paris, une paroi de verre où le dessin audacieux de la résille de plomb forme un extraordinaire « tricotage » de verre (1955). A la cathédrale de Metz, Jacques Villon illumine l'architecture d'une chapelle de la nef en proposant des œuvres rythmées de longs traits noirs qui font éclater la lumière (1975); Roger Bissière la fragmente, au contraire, en une multitude de points colorés aux baies gothiques de la tour sud. Chagall, qui y crée aussi plusieurs verrières sur des thèmes bibliques (Genèse,

49. Voutezac (Corrèze),
chapelle du château du Saillant, nef,
La Vigne,
sur un carton de Chagall, 1979.

Exode), reçoit des commandes du monde entier: son univers onirique acquiert une nouvelle dimension émotionnelle par le vitrail, qu'il s'agisse des vitraux de la synagogue du centre médical de l'université hébraïque Hadassah à Jérusalem (1960-1962) ou de ceux de la chapelle du Sacre à la cathédrale de Reims (1973-1974).

D'autres entreprises, tout aussi réussies, souvent audacieuses, demeurent malheureusement moins connues comme les vitraux de Vieira da Silva à Saint-Jacques de Reims (1973) ou ceux de l'Américain Einstein à Saint-Vulfran d'Abbeville (1967). Le peintre Louttre produit des cartons exemplaires pour les églises du Sud-Ouest, Jean Le Moal en Bretagne. D'autres projets, comme ceux d'André Beaudin pour Saint-Georges de Boscherville, une ancienne abbaye normande, restent malheureusement à l'état d'esquisses.

A partir des années 60 de nombreux pays suivent l'exemple français et prennent l'habitude de demander des cartons à des peintres. En Angleterre, les cartons des verrières de la nouvelle cathédrale de Coventry sont confiés à John Piper (1962). En Allemagne, où de nombreuses églises sont en cours de reconstruction, une collaboration suivie s'instaure entre peintres cartonniers et maîtres verriers, et donne un élan créateur au vitrail qui se substitue même à la paroi murale. Ces murs de lumière conviennent à l'architecture « brutaliste » allemande de l'après-guerre et assurent aux peintres allemands de nombreux chantiers civils et religieux dans le monde.

Essor de la dalle de verre après 1950

La technique nouvelle de la dalle de verre, suscitée par l'emploi du béton armé, connaît un succès grandissant dans l'architecture après 1950. Le maître verrier Jean Gaudin (1879-1954) met au point les premières dalles, avant 1930, en sertissant des pièces de verre colorées dans la masse et de plusieurs centimètres d'épaisseur. Le procédé ne recueille pas immédiatement l'assentiment général et demeure ainsi réservé jusqu'à la guerre à des édifices modestes comme les églises de la première reconstruction.

En 1950, le peintre Fernand Léger choisit ce nouveau matériau pour réaliser les cartons des dix-sept verrières qu'il crée sur le thème de la Passion pour l'église ouvrière d'Audincourt, localité proche de Belfort. La réussite plastique et chromatique de cette longue frise symbolique rompant la monotonie d'une architecture provoque un revirement de la part des détracteurs de la dalle de verre. Des artistes de talent s'y consacrent alors comme Job Guével, relayé aujourd'hui par ses enfants. Leurs productions allient composition rigoureuse et subtilité colorée. La dalle de verre produit de nos jours d'authentiques chefs-d'œuvre qui ornent des édifices religieux et civils dans le monde entier, et connaît un essor particulier dans les pays « neufs » (Australie, Canada, États-Unis, Japon).

50. Menesqueville (Eure), église,
la Sulamite offrant à la Vierge
trois fleurs de lotus,
symbole de la beauté qui se renouvelle,
par Decorchemont, 1935,
h. 1,80 m, l. 1,20 m env.

Tendances actuelles

Le vitrail traditionnel conserve encore ses adeptes, d'autant qu'à présent les malentendus se sont dissipés, spécialement les querelles stériles entre les tenants de l'art abstrait et ceux de l'art figuratif. L'appel aux peintres ne fait pas oublier les recherches créatrices d'un J.-J. Gruber, renouvelées aujourd'hui par celles de sa fille, Jeannette Weiss-Gruber, de Jean-Dominique Fleury, de Jean Mauret et de bien d'autres.

La situation du vitrail reste néanmoins difficile, notamment en Europe. Il n'est plus considéré comme une démarche artistique essentielle, contrairement à ce qui se passe dans des pays « neufs » ou en voie de développement. Le Japon vient de découvrir ses qualités pour décorer des immeubles publics et commerciaux. Le cas de la France, pays de vieille tradition verrière, est à cet égard exemplaire. La collaboration entre peintres et praticiens n'arrive pas à masquer les difficultés que rencontre cet art pour retrouver la place qui lui revient. Le public n'est pas au courant des grands chantiers. Qui connaît celui, récemment terminé, de la cathédrale de Saint-Dié, les projets pour celle de Nevers? Le vitrail apparaît à beaucoup une expression du passé, réservée à quelques initiés.

Beaucoup de praticiens n'arrivent en effet plus à convaincre. Ils restent prisonniers d'une technique coercitive et ne sont pas assez sévères vis-à-vis de leurs cartons ou de ceux qu'ils exécutent. Mais confier un carton à un peintre

51. Darmannes (Haute-Marne)
église.
Verrière par Jeannette Weiss-Gruber, 1986.

n'est pas synonyme de réussite. Le rapport avec l'architecture du lieu compte au moins autant. Créer un vitrail correspond à une éthique artistique qui a ses lois et sa dynamique distinctes de celles du peintre moins préoccupé par les effets de la lumière et de la matière. On ne peut oublier ces approches différentes, notamment dans un pays recelant d'excellents créateurs qui ne s'expriment pleinement que par le vitrail. Ils n'en conservent la tradition que pour mieux s'en affranchir et trouver des nouvelles transparences qui participent au devenir de la peinture contemporaine comme des œuvres sur papier ou des fresques.

Enfin le vitrail ne profite pas du rôle privilégié que l'architecture actuelle confère au verre en tant que matériau de construction. De nombreux architectes évacuent trop facilement le vitrail de leurs constructions ou lui trouvent des substituts comme Jean Nouvel à l'Institut du monde arabe à Paris en actualisant le principe de la claustra (cf. chap. I). Des praticiens comme Gérard Lardeur (cathédrale de Cambrai, Saint-Guillaume de Strasbourg) ou des peintres comme Jean-Pierre Raynaud (abbaye de Noirlac au sud de Bourges) comprennent l'innovation que représente le retour au vitrail monochrome, voie qui s'avère maintenant des plus fécondes. Le vitrail a en effet une place de choix à reconquérir si architectes et praticiens acceptent enfin de reprendre les recherches entreprises par Jean-Luc Perrot dans les années 60 avec l'aide de la firme Boussois. Ces travaux (modelage de grandes dalles de verre, utilisation de verre profilé et en verre Sécurit) démon-

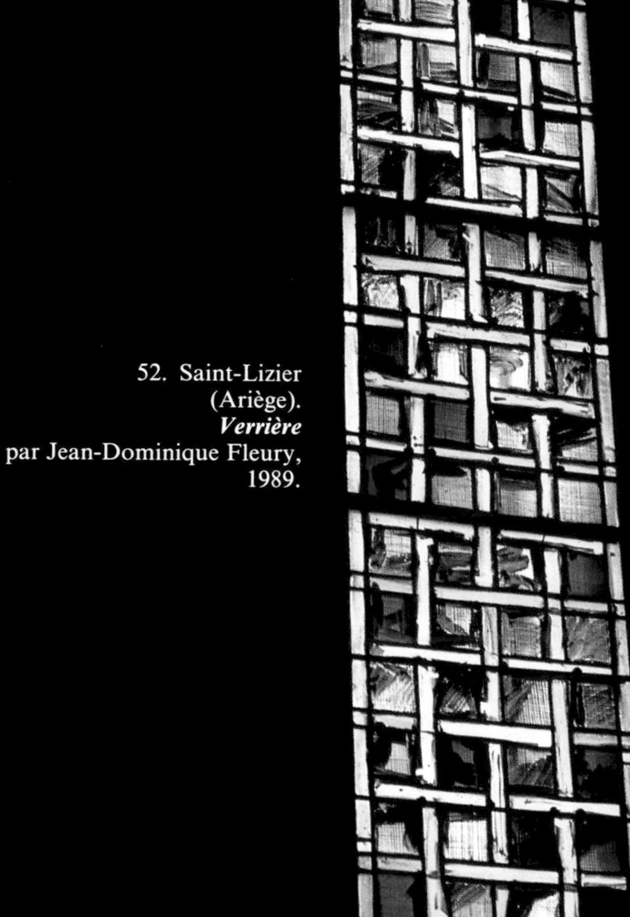

52. Saint-Lizier (Ariège). ***Verrière*** par Jean-Dominique Fleury, 1989.

trent la valeur plastique du verre, ce que recherchent aujourd'hui avant tout les concepteurs.

XIII

Survie du vitrail ancien

Le vitrail est fragile par sa nature et par sa destination. Plus que toute autre œuvre d'art, il demande un entretien régulier. Ces travaux n'ont pas toujours été conduits avec soin au cours des siècles et transformèrent souvent l'état originel des vitraux anciens.

Dégradations

Le verre est un matériau délicat soumis à d'importantes contraintes physiques comme le vent, la grêle et les écarts de température. Il se brise sous les chocs. Les intempéries comme des orages de grêle ou des tempêtes de vent provoquent de graves dégâts sur les verrières. Certains vitraux sont plus exposés que d'autres en raison de leur emplacement ou de leur grande superficie. A la cathédrale de Sens, les verrières hautes du bras sud du transept furent gravement endommagées deux fois par de violents orages cette dernière décennie. Sans entretien, les armatures dans lesquelles sont placés les vitraux se déforment et rouillent. Les plombs ont une durée de vie limitée et se cassent: les verres se dessertissent et tombent.

Le vitrail est aussi l'objet d'actes de vandalisme, et ce depuis des siècles. Vandalisme collectif dû à des guerres et surtout à des conflits civils: en France, les guerres de Religion de la seconde moitié du XVIe siècle et la période révolutionnaire entraînèrent de nombreuses destructions; en Angleterre, le roi Henri VIII ordonna la destruction de nombreux vitraux au moment du schisme. Vandalisme individuel qui se traduit généralement aujourd'hui par le criblage des vitraux avec des carabines à plombs ou par l'envoi de jets de pierres.

En outre, le verre est un produit instable qui s'altère chimiquement lorsqu'il est soumis à l'action d'agents atmosphériques tels que l'eau, l'oxyde carbonique et l'anhydride sulfureux. Composés pour un tiers de silice et deux tiers de matières potassiques (cf. chap. IV), les verres du Moyen Age manquent de dureté et sont plus sensibles à ces facteurs que les verres antiques ou modernes, verres à fondants sodiques. L'action de l'eau (pluie, rosée) entraîne une hydratation trop forte de la surface externe des vitraux et conduit à son altération qui peut être irréversible à plus ou moins long terme. Ce processus de dégradation est d'autant plus important qu'il est favorisé par des phénomènes de condensation et par la pollution industrielle très développée depuis le début du siècle.

Des agents biologiques comme des mousses ou des lichens, nombreux par exemple sur les vitraux bretons, favorisent le maintien de l'humidité sur la face externe des verres et accélèrent sa dégradation. La face externe se couvre alors d'une couche d'altération qui peut se présenter sous plusieurs formes mais qui a pour conséquence d'opacifier les verres et de rendre la lecture des vitraux difficile, voire impossible. La masse vitreuse est ainsi atteinte et noircit. Ces phénomènes de dégradation sont différents selon la composition chimique, la nature de l'oxyde métallique employé comme colorant et la température de fusion de la pâte de verre. Ils prennent aussi des aspects différents : certains verres sont altérés par des cratères plus ou moins profonds ; d'autres sont recouverts uniformément d'une croûte dure qui adhère aux verres et qui entretient le processus de sa détérioration. Certains verres comme ceux fabriqués avec de l'oxyde de manganèse qui donne une coloration pourpre, souvent utilisée pour les visages, sont plus facilement dégradables que d'autres. En revanche, le fameux bleu de Chartres, célébré par Émile Mâle, des verrières de la façade occidentale demeure inaltéré grâce à sa composition chimique.

La corrosion de la face externe des vitraux est un phénomène ancien. Au XVe siècle on remplaçait les pièces corrodées par de nouveaux verres pour préserver la lisibilité des verrières. Au XIXe siècle, des méthodes drastiques de nettoyage des verres furent de bonne foi mises au point par des savants comme le chimiste Chevreul. Destinés à remédier à l'obscurcissement des vitraux, ces procédés, comme le nettoyage à l'acide fluorhydrique ou le grattage à la brosse métallique, eurent un effet contraire à l'effet recherché. Les verres ainsi nettoyés sont aujourd'hui plus abîmés que ceux de même époque qui n'ont pas subi de tels traitements. Ces procédés, encore en usage il y a une vingtaine d'années, sont aujourd'hui bannis lors de restaurations.

La face interne des verres, celle qui est peinte, se dégrade aussi. Le mode de chauffage des églises, notamment au gaz ou à l'air pulsé, entraîne un excès de gaz carbonique préjudiciable à la bonne adhérence de la grisaille qui sert de peinture (cf. chap. IV). Les traits de peinture deviennent friables, poreux, et finissent par se décoller. La peinture tombée, il ne reste qu'une image en négatif (comme en photographie) difficilement lisible.

Les désordres d'une verrière ancienne sont donc différents selon la date et le lieu de son exécution. On peut même avancer que chaque œuvre a une « personnalité matérielle » propre qui résulte aussi des méthodes appliquées jusqu'à une époque récente lors de ses restaurations.

De la fin du XVIe siècle au début du XIXe siècle, les méthodes mises en œuvre furent généralement préjudiciables aux vitraux. On ne cherchait plus à restaurer ponctuellement une verrière. Il fallait avant tout conserver à l'édifice une parure vitrée en réunissant dans les baies des panneaux de provenances diverses et prélevés sur plusieurs verrières de l'édifice ou même achetés à des chapitres ou fabriques d'édifices voisins. Ainsi, à la cathédrale du Mans on réunit pêle-mêle des panneaux romans et gothiques soustraits des fenêtres basses de la nef et du chœur pour compléter les vitraux de la chapelle axiale. Cette

53. Caudebec-en-Caux (Calvados), église, côté sud,
Verrière composite formée de panneaux figurés occupant les ajours du réseau et les têtes de lancettes; au-dessous, vitreries blanches à bornes.
h. 4 m, l. 2,60 m.

méthode fut souvent pratiquée aux siècles suivants. Au XVIIIe siècle, beaucoup de chapitres firent remplacer des parties de vitraux historiés de couleur, notamment les registres inférieurs, par des vitreries blanches, alors à la mode, pour donner un meilleur éclairage aux édifices.

Les restaurations du XIXe siècle furent souvent néfastes. Cherchant à retrouver l'état originel des vitraux anciens (ce qui souvent n'était plus possible), les maîtres verriers, avec l'aval d'architectes comme Viollet-le-Duc, leur donnèrent souvent une cohérence factice en supprimant des parties anciennes jugées en mauvais état pour les remplacer par des restitutions souvent hasardeuses. Les panneaux éliminés étaient alors vendus dans le commerce d'art et formèrent l'embryon des collections de musées comme ceux des États-Unis.

Aujourd'hui, au contraire, on s'efforce de restaurer les vitraux anciens suivant des méthodes appropriées. La corrosion des vitraux anciens (notamment le noircissement des verres) s'est beaucoup accélérée depuis une vingtaine d'années, faisant prendre conscience aux responsables administratifs et techniques ainsi qu'aux spécialistes — historiens et scientifiques — de la nécessité d'une doctrine de restauration qui respecte l'état et l'originalité de chaque œuvre, et qui prolonge une durée d'existence souvent compromise. C'est pourquoi aujourd'hui on s'intéresse surtout à mettre au point des mesures de conservation scientifiques en respectant au maximum l'œuvre d'art selon les principes de la charte de Venise.

Mesures de conservation actuelles

Depuis 1962, à l'initiative du Corpus Vitrearum Medii Aevi, organisation internationale consacrée à l'étude des vitraux anciens et patronnée par l'Unesco, un comité technique fut créé. Cet organisme a pour mission d'étudier les problèmes délicats que pose la conservation des vitraux anciens en suscitant la recherche dans des laboratoires hautement qualifiés de différents pays. En France, c'est le laboratoire officiel des Monuments historiques, installé au château de Champs-sur-Marne, à l'est de Paris, qui est chargé de cette tâche. Ses experts donnent des directives aux maîtres verriers et aux ateliers chargés des restaurations sur des vitraux anciens.

Avant toute opération matérielle, il importe de connaître l'histoire du vitrail (modes de fabrication des composantes du vitrail, conditions d'élaboration et d'exécution, style, etc.) et des restaurations qu'il a subies au cours des siècles. La collaboration entre historiens et scientifiques s'avère indispensable à ce stade de l'intervention : plus les indications historiques sont nombreuses, plus les analyses scientifiques seront pertinentes. Généralement conduite par des historiens d'art, la critique d'authenticité, c'est-à-dire l'étude qui permet de comptabiliser la proportion de verres originels par rapport à ceux remplacés lors des restaurations et de les situer dans le vitrail, est un préalable à toute intervention.

Après des analyses scientifiques qui déterminent l'importance et la nature des altérations du vitrail (analyses des verres, des plombs, des effets de la corrosion et même de la dévitrification), les experts dressent un programme de conservation qui est particulier à chaque œuvre.

Ces directives concernent le nettoyage du vitrail qui doit être effectué avec une grande prudence, le plus couramment en utilisant de l'eau pure. Seuls les laboratoires agréés sont habilités à recommander d'autres produits. Le nettoyage est avant tout une mesure conservatoire et, à cause de cela, la récupération de la transparence, recherchée à tout prix jusqu'à une époque récente, est devenue secondaire. Mieux vaut un verre qui reste noirci une fois nettoyé, qu'un verre qui retrouve sa transparence par des moyens chimiques ou mécaniques comme l'abrasion.

La refixation de la grisaille doit être réservée à des cas exceptionnels, uniquement quand le décollement de la peinture est irrémédiable et altère la lecture de l'œuvre à brève échéance.

En revanche, de plus en plus on essaie de remplacer, lorsque cela est possible, les plombs de casse, c'est-à-dire mis en place lors de restaurations antérieures, à l'aide de résines synthétiques neutres (silicones). Les casses récentes sont traitées suivant le même procédé. On renforce les pièces nouvellement collées en les doublant* d'un verre. Lorsque le vitrail possède une partie de ses plombs d'origine ou un réseau de plombs anciens, ce qui arrive encore, notamment dans les ajours des tympans des baies, il est indispensable de les conserver pour préserver l'authenticité de l'œuvre. Enfin, lorsqu'on remplace une

54. Bourges, cathédrale, crypte,
Apôtre et prophète provenant de la vitrerie
de la Sainte-Chapelle de Bourges
(1405-1408)
illustrant le Symbole des apôtres et compléments
par J. Mauret, 1987,
h. 3 m, l. 2,20 m.

pièce manquante, il importe de graver en tout petit la date de l'intervention.

Ces mesures doivent être accompagnées d'une remise en état (voire du changement) de son armature métallique et du cadre architectural (maçonneries, remplages) dans lequel est placée la verrière, d'autant que le principe d'une verrière extérieure est aujourd'hui le meilleur moyen d'assurer la conservation des vitraux anciens.

Les expériences et les recherches récentes permettent d'assurer que cette méthode est actuellement la meilleure pour protéger les vitraux anciens contre les dégradations physiques et la pollution atmosphérique. Elle réduit aussi les phénomènes de condensation sur la face interne des vitraux et sauvegarde ainsi les parties peintes. Ce procédé est efficace si le vitrage extérieur est étanche. Il doit être résistant aux agressions mécaniques et posé à une distance suffisante du vitrail, soit quelques centimètres, afin d'assurer (grâce à des fentes ou des trous) la ventilation nécessaire à la circulation d'air entre le vitrail et son vitrage de protection. L'opération accomplie, il est indispensable de procéder à des contrôles systématiques (température, humidité de l'air, etc.) qui permettront d'intervenir, si besoin est, sur ce moyen de protection isothermique, la seule méthode capable aujourd'hui de préserver efficacement les vitraux anciens, même si celle-ci apparaît souvent, notamment en France, comme inesthétique. Ce n'est que par ce procédé qui exige une mise au point pointue que ce patrimoine, caractéristique de l'art occidental et particulièrement de la France, sera sauvé.

Glossaire

Aile : voir plomb.

Ajour : dans le vitrail, élément du tympan d'une baie. Sa forme varie selon l'emplacement dans le tympan et l'époque de construction de la baie.

Ame : âme ou cœur du plomb reliant les deux ailes.

Armature : ensemble des barres en métal (fer forgé, aluminium, cuivre, laiton) qui, scellées dans le mur, sont destinées à recevoir les panneaux d'une verrière.

Baie : ouverture pratiquée dans un mur ou une charpente pour faire une fenêtre où sera placée une verrière. Une baie peut être partagée par des *meneaux* ou montants de pierre en *lancettes*, et surmontée d'un tympan lui-même formant un réseau divisé par un remplage en pierre. Lorsque la baie est circulaire, de petites dimensions et sans divisions par des meneaux, elle se nomme un *oculus*, sinon, il s'agit d'une rosace ou d'une rose.

Barlotière : élément de l'armature métallique destinée à recevoir le panneau. Elle se compose de plusieurs pièces : 1. d'un fer plat à section rectangulaire muni de *pannetons* sur lesquels est posé le panneau ; 2. d'un *feuillard* ou barre plate qui est percé de mortaises correspondant à l'emplacement des pannetons. Il est enfilé dans les pannetons ; 3. des *clavettes* sont placées dans les pannetons et permettent ainsi de maintenir le panneau contre le feuillard.

Blaireau: pinceau rond ou rectangulaire, large et peu épais, en poils de blaireau, servant à étaler la grisaille.

Borne: voir vitrerie.

Bouche-trou: pièce de verre provenant d'une verrière et réemployée sur une autre verrière sans souci de cohérence.

Boudine: excroissance ou nœud du verre au centre de la cive ou du plateau laissé par le *pontil* dans le procédé de soufflage en plateau.

Broche: voir fermaillet.

Calibrage: découpage à la lame et avec des *ciseaux à triple lame* du tracé d'une verrière afin d'obtenir des *calibres*, c'est-à-dire les patrons de chaque pièce de verre.

Canne: long tube de métal servant à souffler le verre en *manchon* ou en *plateau*.

Carton: dessin en grandeur d'exécution d'une verrière établi sur un papier fort. Le carton doit porter toutes les indications nécessaires à la fabrication d'une verrière, de l'armature métallique jusqu'à la couleur de la plus petite pièce de verre.

Chef-d'œuvre: mise en plomb d'une pièce de verre au milieu d'une pièce plus grande.

Ciseaux à triple lame: ils permettent de découper le carton pour faire les calibres. Ils sont composés d'une seule lame en partie supérieure et de deux lames dans la partie inférieure.

Cive: disque en verre soufflé obtenu par le procédé du soufflage en plateau.

Claustra : voir transenne.

Cœur : voir plomb.

Cuisson : fixation sur le verre de la grisaille des émaux ou du jaune d'argent en atteignant le point de ramollissement des molécules du verre vers 620 degrés.

Dalle ajourée : voir transenne.

Dalle de verre : pièces de verre coulées de dimensions restreintes et d'une épaisseur de 3 à 5 centimètres environ, et serties dans du ciment ou une résine.

Dépose : action qui aboutit à retirer une verrière de sa baie, généralement pour être restaurée.

Diamant : outil destiné à couper le verre constitué par une minuscule parcelle de diamant enchâssée dans une pièce métallique appelée sabot et munie d'un court manche.

Doublage : lors d'une restauration, un verre ancien brisé est collé et emprisonné entre deux verres blancs fins.

Émail : poudre de cristal coloré qui permet de peindre sur le verre. Se fixe par une cuisson à 620 degrés.

Enlevés : travail d'épargne sur la grisaille encore humide à l'aide de la hampe du pinceau, d'une aiguille, etc. Permet la réalisation de petits motifs et l'éclaircissement de la peinture.

Étain : baguette d'étain servant à souder deux plombs à leur intersection.

Feuillard : voir barlotière.

Fermaillet : motif en forme d'agrafe ou de fermail servant à réunir les scènes entre elles.

Filet : étroite bande de verre peinte ou non, placée entre deux baguettes de plomb. Sert en général d'encadrement à un médaillon historié ou à une bordure. Assure les passages entre les différentes composantes d'une verrière.

Fondant : mélange composé aujourd'hui d'oxyde de plomb et de borax, qui a pour effet d'abaisser la température de fixation de la grisaille au moment de la cuisson.

Fritte : mélanges de substances terreuses et de substances salines ajoutées au moment de la fusion de la pâte de verre pour accélérer l'opération.

Grattage : travail d'épargne sur la grisaille encore humide ou une fois sèche.

Grisaille : dans le domaine du vitrail ce mot a deux sens. 1. Préparation destinée à peindre le verre composée d'un oxyde métallique (de cuivre ou de fer) associé à un fondant broyé très fin (poudre de verre). La grisaille peut être aujourd'hui colorée. 2. Verrière claire ou blanche recouverte de motifs décoratifs peints ou non.

Grugeoir : généralement pince plate permettant de donner à une pièce de verre sa forme définitive et de l'ajuster à celle du calibre.

Jean cousin ou sanguine : préparation à base d'hématite de fer dont on attribue improprement les premières utilisations à un peintre actif à Sens pendant la première moitié du XVIe siècle, d'où son nom.

Jaune d'argent : mélange de sels d'argent et d'ocre jaune neutre utilisé comme peinture à partir des années 1300 (Angleterre, France). Se pose sur la face externe du verre et se cuit comme une grisaille.

Laucette : voir baie.

Lavis : couche légère de grisaille qui, peinte sur le verre, en modifie la translucidité.

Litre (en) : disposition en bandeau étroit et sombre. Terme employé en cas de verrière mixte, c'est-à-dire associant panneaux historiés ou figurés de pleine couleur à des panneaux décoratifs clairs.

Manchon : cylindre de verre obtenu par soufflage d'une boule de pâte de verre (paraison) et destiné à être étendu avec un polissoir pour former une plaque de verre.

Marteline : petit marteau à deux pointes servant à détacher la pièce coupée au diamant.

Mastic : sert à rendre un panneau parfaitement étanche, une fois la mise en plomb terminée.

Meneau : voir baie.

Modelé : manière de rendre avec de la grisaille les volumes.

Mosaïque : jeu de fonds décoratif et à petite échelle des verrières gothiques.

Oxyde métallique : pigment d'origine minérale qui sert à colorer les verres.

Panneau : élément de verrière dont les dimensions ne dépassent généralement pas 1 mètre de côté. Une verrière se compose de plusieurs panneaux. En cas de verrière historiée ou figurée, un panneau peut ne représenter qu'une partie de la scène.

Paraison : boule de pâte de verre en fusion qui vient d'être cueillie par le souffleur de verre.

Plateau : voir cive.

Plomb : baguette de plomb en forme d'un H servant à

assembler les pièces de verre d'un panneau. Se compose d'une partie centrale, appelée *cœur*, et d'*ailes*, de formes, d'épaisseurs et de largeurs variées qui se rabattent sur les verres. *Plomb de casse*, généralement très mince, utilisé pour réparer une pièce cassée, mais aujourd'hui, si cela est possible, on préfère procéder à un collage avec une colle de type silicone.

Pontil: baguette de fer qui sert à cueillir du verre et à faire adhérer la paraison.

Putois: pinceau à poils durs et de même longueur. Donne une surface granuleuse à la grisaille.

Registre: espace compris entre deux barlotières horizontales.

Rehaut: touche légère généralement au jaune d'argent, destinée à animer un élément ou une partie de verrière.

Rondel: petit élément de vitrail à sujet civil ou religieux inséré dans une vitrerie incolore.

Rose: grande baie circulaire coupée par des meneaux de pierre rayonnant en principe à partir du centre.

Sanguine: voir jean cousin.

Sertissage: opération qui consiste à assembler les pièces de verre à l'aide de baguettes de plomb.

Tire-plomb: laminoir, autrefois à main, aujourd'hui mécanique, qui permet de fabriquer les plombs.

Trait: ligne plus ou moins épaisse de grisaille. Peut être également fait à la sanguine ou au jaune d'argent. *Trait de contour* destiné à cerner une forme (visage, architecture) et à donner les lignes principales.

Transenne: dalle de pierre ou monture de bois ajourée et décorative servant à clore les baies pendant l'Antiquité. Ce mode de fermeture, qui s'est poursuivi pendant le haut Moyen Age en Occident, est toujours utilisé dans le monde islamique.

Valeur: ton plus ou moins foncé permettant de moduler la lumière.

Vergette: barre de fer ronde de 1 centimètre de diamètre fixée au panneau d'une verrière par des *attaches* soudées à un plomb destiné à raidir le panneau entre deux barlotières.

Verre: dans le cas du vitrail, le verre est soufflé. Aujourd'hui ce verre porte le nom d'*antique*. Le *verre américain* est un verre chamarré où les couleurs forment des traînées d'intensités et de formes variables. *Verre cathédrale*: verre mécanique dont le relief forme des ondulations plus ou moins grandes. *Verre dichroïque*: verre dont la couleur change suivant l'angle selon lequel on le regarde. *Verre favrile*: verre opalescent produit par le passage de ce verre, alors en fusion, dans certains gaz. *Verre plaqué ou doublé*: verre soufflé et de couleur composé de plusieurs couches de verre dont l'une est généralement blanche. *Verre à reliefs mécaniques*: verre présentant des motifs variés en relief obtenus généralement par traitement industriel (par exemple, le verre cathédrale dont les reliefs forment des motifs circulaires). *Verre vénitien*: verre constitué de plusieurs couleurs qui forment des bandes régulières.

Verrière: clôture décorative de baie, le plus souvent d'une fenêtre, composée de pièces de verres de couleur peintes ou non peintes serties dans des plombs. Il existe différents types de verrières. *Verrière figurée*, c'est-à-dire à personnages, qu'il y en ait un ou plusieurs. *Verrière légendaire ou verrière historiée*, composée de petits compartiments ou scènes et destinée à une vision rapprochée (fenêtres basses des cathédrales). *Verrière mixte*, associant panneaux de pleine couleur abritant généralement des figures, plus rarement des scènes, et des panneaux décoratifs de grisaille claire ou blanche; *Verrière typologique (Bibelfenster)*: verrière historiée mettant en parallèle des épisodes de l'Ancien et du Nouveau Testament.

Vitre: *maîtresse-vitre*, terme employé, surtout en Bretagne, pour désigner la verrière qui occupe la baie axiale de la nef ou du chevet.

Vitrerie: 1. désigne l'ensemble des verrières d'un même édifice (par exemple, la vitrerie *gothique* de la cathédrale du Mans); 2. *à bornes* ou verrière à dessins géométriques et répétitifs (par exemple, une vitrerie à motifs losangés).

Bibliographie sommaire

Bibliographies

CAVINESS-HARRISSON (Madeline), avec la collaboration de STAUDINGER (Evelyne), *Stained Glass before 1540*, Boston, G. K. Hall and Co, 1983, 302 p.

GERÓ (Jules), *Bibliographie du vitrail français*, Paris, La Porte étroite, 1983, 250 p.

Études d'ensemble

ALLIOU (Didier), BRISAC (Catherine), *Regarder et comprendre un vitrail*, Paris, coll. « Jupilles », 1985, 80 p.

BRISAC (Catherine), *Le Vitrail*, Paris, Nathan, 1985, 200 p.

GRODECKI (Louis), avec la collaboration de BRISAC (Catherine) et LAUTIER (Claudine), *Le Vitrail roman*, Fribourg, Office du livre; Paris, Vilo, 1977, 1re éd.; 1984, 2e éd.; 308 p.

GRODECKI (Louis), BRISAC (Catherine), *Le Vitrail gothique au XIIIe siècle*, Fribourg, Office du livre; Paris, Vilo, 1984, 279 p.

LAFOND (Jean), *Le Vitrail*, Paris, Fayard, 1re éd., 121 p.; 3e éd., augmentée, 248 p.

LAFOND (Jean), « Le vitrail du XIVe siècle en France », in LEFRANÇOIS-PILLON (Louise), *L'Art du XIVe siècle en France*, Paris, Albin Michel, 1954, p. 187-238.

LE VIEIL (Pierre), *L'Art de la peinture sur verre et de*

la vitrerie, Paris, L. F. Delatour, 1774, 245 p.; Genève, Minkoff, 1973 (édition anastatique).
PERROT (Françoise), *Le Vitrail français contemporain*, Lyon, La Manufacture, coll. « L'œil et la main », 1984, 169 p.
THÉOPHILE, *Essai sur divers arts*, édité et annoté par André Blanc, Paris, Picard, 1980, 206 p.
Le Vitrail français, ouvrage collectif, Paris, Éditions des Deux Mondes, 1958, 336 p.

Monographies et répertoires

BEYER (Victor), WILD-BLOCK (Christiane), ZSCHOKKE (Fridtjof), avec la collaboration de LAUTIER (Claudine), *Les Vitraux de la cathédrale de Strasbourg*, Paris, Centre national de la recherche scientifique (Corpus Vitrearum/France), 1986, 599 p.
DEREMBLE (Jean-Paul), MANHES (Colette), *Les vitraux légendaires de Chartres*, Paris, 1988, 192 p.
GRODECKI (Louis), LAFOND (Jean), *Les Vitraux de Notre-Dame et de la Sainte-Chapelle de Paris*, Paris, Caisse nationale des monuments historiques et Centre national de la recherche scientifique (Corpus Vitrearum/France), 1959, 357 p.
LAFOND (Jean), avec la collaboration de PERROT (Françoise) et de POPESCO (Paul), *Les Vitraux de l'église de Saint-Ouen de Rouen*, Paris, Caisse nationale des monuments historiques et Centre national de la recherche scientifique (Corpus Vitrearum/France), 1970, 256 p.
Recensement des vitraux anciens de France (Corpus Vitrearum/France, série complémentaire), I, *Les Vitraux de Paris, de la région parisienne de la Picardie et du Nord-Pas-de-Calais,* Paris, Centre national de la recherche scientifique, 1978, 275 p.; II, *Les Vitraux du Centre et des pays de la Loire*, Paris,

Centre national de la recherche scientifique et Caisse nationale des monuments historiques, 1981, 335 p.; III, *Les Vitraux de Bourgogne, Franche-Comté et Rhône-Alpes*, Paris, Centre national de la recherche scientifique et Inventaire général des richesses artistiques de la France, 1986, 350 p.

Catalogues d'exposition

Vitraux de France du XIe au XVIe siècle, catalogue par GRODECKI (Louis), Paris, musée des Arts décoratifs, 1953.

Franse Kerkramen-Vitraux de France, catalogue par PERROT (Françoise), Amsterdam, Rijksmuseum, 1973-1974, 110 p.

Le Vitrail dans le Pas-de-Calais de 1918 à 1939, catalogue par WINTREBERT (Patrick), Arras, 1989.

Revues

« Découvrir et sauver les vitraux », *Les Dossiers de l'archéologie*, n° 26, février 1978.

« Le vitrail », *Métiers d'art*, n° 20, novembre 1982.

« Le vitrail », *TDC* (textes et documents pour la classe), n° 468, 2 janvier 1988.

« Le vitrail au XIXe siècle », *Annales de Bretagne et des pays de l'Ouest*, n° 4, t. XCIII, 1986.

INDEX DES NOMS

Table des matières